FRENCH

compiled by
LEXUS
with
Iseabail Macleod

RICHARD DREW PUBLISHING
Glasgow

RICHARD DREW PUBLISHING LTD.
20 PARK CIRCUS
GLASGOW G3 6BE
SCOTLAND

First published 1982
New Edition 1986

ISBN 0 86267 013 6

Printed and bound in Great Britain by
Cox & Wyman Ltd.

YOUR SKI-MATE gives you one single A–Z list of useful words and phrases to help you communicate in French, German and Italian. Built into this list are travel tips, foreign words you might see on signs and notices, and typical replies to some of the things you might want to say. There are menu readers on pp. 62–67, numbers on pp. 126–127 and the time on the last page.

Your **SKI-MATE** also tells you how to pronounce French, German and Italian. Just read the pronunciations as though they were English, and you will communicate – although you might not sound like a native speaker.

Depending on the likely context of use, the **SKI-MATE** gives the equivalent of either 'the' or 'a' (in some cases you will also find the French 'du', 'de la' or 'des', equivalent to English 'some'). The feminine of adjectives or German case endings have not, as a rule, been given.

FRENCH: 1. The nasal sounds are represented by [ōn] and [ān]. [j] is like the second consonant sound in 'measure' or 'seizure'. 2. The final consonant is sounded in the feminine form of adjectives: chaud, chaude [shoh, sho**d**], creux, creuse [krer, krerz], certain, certaine [sair-tān, sair-ten].

GERMAN: Here are some special sounds: [oo] is like oo in 'soon'; [ꝏ] is like oo in 'book'; [ōō] is similar to the u sound in 'huge'; [ōw] is like ow in 'cow'; [k] is like the ch in Scottish 'loch'. Vowels given in italics show which part of a word to stress.

ITALIAN: 1. Note that [j] in the pronunciations is as in English 'jet'. Vowels given in italics show which part of a word to stress. 2. The feminine ending of adjectives in 'o' is 'a' [ah]; as a rule, plural endings are 'i' [ee] in the masculine, and 'e' [ay] in the feminine.

GOOD LUCK – ON AND OFF THE PISTE!

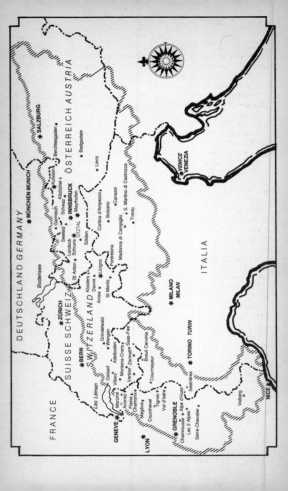

a *see* **the**

Abfahrt *departures; start*

about *(approximately)* **1** environ [ônvee-rôn]
2 ungefähr [œn-gheh-fair] **3** circa [cheer-kah]
   about 2 o'clock 1 vers deux heures [vair . . .]
   2 gegen zwei Uhr [gay-ghen . . .] **3** verso le due

above 1 au-dessus (de . . .) [oh der-soo (der)] **2** über
[ôber] **3** sopra

abroad 1 à l'étranger [ah laytrôn-jay] **2** im Ausland
[im ôwss-lannt] **3** all'estero [al-les-tay-roh]

accès interdit *no entry*

accident: there's been an accident 1 il y a eu un
accident [eel-yah oo ān aksee-dôn] **2** es ist ein Unfall
passiert [. . . ine œn-fal pas-ee-ert] **3** è successo un
incidente [eh soo-ches-soh oon een-chee-den-tay]

accommodation: we need accommodation for 3
1 il nous faut de la place pour trois personnes [eel noo
foh der lah plass . . .] **2** wir brauchen Zimmer für drei
Personen [veer brôw-ken tsimmer fôr . . .] **3** c'è posto
da dormire per tre? [cheh . . . dor-mee-ray . . .]

Achtung *caution, danger; attention please!*

adaptor 1 un adaptateur [ahdap-tah-terr] **2** ein
Zwischenstecker [tsvishen-sht–] **3** una spina
intermedia [spee-nah een-ter-may-dee-ah]

address 1 l'adresse [ah-dress] **2** die Adresse
[ad-ressuh] **3** l'indirizzo [een-dee-reet-tzoh]

adjust 1 ajuster [ahjoos-tay] **2** richtig einstellen
[rik-tik ine-shtellen] **3** aggiustare [ah-joos-tah-ray]

afraid: he's afraid of . . . 1 il a peur de . . . [eel ah per
der] **2** er hat Angst vor . . . [air . . . for] **3** ha paura di
[ah pah-oor-ah dee]

after 1 après [ah-pray] **2** nach [nahk] **3** dopo

afternoon: this afternoon 1 cet après-midi [sayt
ahpray-mee-dee] **2** heute nachmittag [hoy-tuh
nahk-mi-tahg] **3** questo pomeriggio [kwes-toh
po-may-ree-joh]

aftershave 1 l'aftershave **2** das Rasierwasser
[raz-eer-vasser] **3** il dopobarba

again 1 de nouveau [der noo-voh] **2** wieder [veeder]
3 ancora

against 1 contre [kôntr] **2** gegen [gay-ghen] **3** contro

ago: a week ago 1 il y a une semaine [eel-yah . . .]

....

2 vor einer Woche [for . . .] **3** una settimana fa

agree: I agree 1 je suis d'accord [jer swee dah-kor] **2** da
stimme ich zu [dah shtimmuh ish tsoo] **3** sono
d'accordo

air 1 l'air **2** die Luft [lœft] **3** l'aria [*ah*-ree-ah]
by air 1 en avion [ōnn ahv-yōn] **2** per Flugzeug [pair
floog-tsoyg] **3** in aereo [een ah-*eh*-ray-oh]
with air-conditioning 1 climatisé [kleemah-tee-
zay] **2** mit Klimaanlage [. . . kl*ee*ma-an-lahguh]
3 con aria condizionata [. . . kon-dee-tzee-o-n*ah*-tah]

airport 1 l'aéroport [ah-ayroh-por] **2** der Flughafen
[floog-hah-fen] **3** l'aeroporto [ah-ay-ro-por-toh]

alarm: give the alarm! 1 donnez l'alarme!
[doh-nay . . .] **2** Alarm geben! [. . . gay-ben] **3** dia
l'allarme! [*dee*-ah . . .–may]
alarm clock 1 le réveil [ray-vay] **2** der Wecker [v–]
3 la sveglia [sv*ay*l-yah]

alcoholic: is it alcoholic? 1 est-ce que c'est alcoolisé?
[esker sayt alkolee-zay] **2** ist das Alkohol? **3** è
alcolico? [eh *a*l-ko-lee-koh]

all *(everything)* **1** tout [too] **2** alles [al-less] **3** tutto
[*toot*-toh]
(everybody) **1** tous (toutes) [toos, toot] **2** alle [al-luh]
3 tutti [*toot*-tee]
all right! 1 d'accord! [dah-kor] **2** in Ordnung!
[. . . ort-nœng] **3** va bene! [. . . b*ay*-nay]
all night/day 1 toute la nuit/la journée **2** die ganze
Nacht/den ganzen Tag [dee gants-uh . . ./dayn
gants-en . . .] **3** tutta la notte/tutto il giorno

allergic 1 allergique [ahlair-jeek] **2** allergisch
[al-air-ghish] **3** allergico [al-l*er*-jee-koh]

allowed: is it allowed? 1 est-ce que c'est permis?
[. .∴. pair-mee] **2** darf man das? **3** è permesso?

almost 1 presque [presk] **2** fast [fasst] **3** quasi
[kw*ah*-zee]

alone 1 seul [serl] **2** allein [al-ine] **3** solo

alpenhorn 1 le cor des Alpes [kor dayz alp] **2** das
Alphorn **3** il corno alpino [. . . al-p*ee*-noh]

Alps 1 les Alpes [layz alp] **2** die Alpen **3** le Alpi [lay
*a*l-pee]

already 1 déjà [day-jah] **2** schon [shohn] **3** già [djah]

also 1 aussi [oh-see] **2** auch [ōwk] **3** anche [*a*n-kay]

alt *halt*

altitude 1 l'altitude [altee-tood] **2** die Höhe [hurr-uh]

3 l'altitudine [al-tee-*too*-dee-nay]
what's the altitude here? 1 on est à quelle altitude
ici? [ōn ay ah kel . . . ee-*see*] **2** wie hoch sind wir hier?
[vee hohk zinnt veer heer] **3** a che altitudine siamo
qui? [ah kay . . . see-*ah*-moh kwee]

always 1 toujours [too-joor] **2** immer **3** sempre
[*sem*-pray]

ambulance 1 une ambulance [ōnboo-lōns] **2** ein
Krankenwagen [kranken-vah-ghen] **3** un'ambulanza
[am-boo-la*n*-tzah]

and 1 et [ay] **2** und [ɔont] **3** e [ay]

ankle 1 la cheville [sher-vee] **2** der (Fuß)knöchel
[(fɶss-)kuh-nurr-shell] **3** la caviglia [ka-*vee*l-yah]

Ankunft arrivals

Anmeldung reception

anniversary: our anniversary 1 notre anniversaire
de mariage [. . . ahnee-vair-sair der mahr-yahj]
2 unser Hochzeitstag [. . . h*o*hk-tsites-tahg]
3 il nostro anniversario

anorak 1 un anorak **2** ein Anorak **3** un anorak

another: another room 1 une autre chambre [oon
ohtr . . .] **2** ein anderes Zimmer [ine an-dress . . .]
3 un'altra camera
another beer, please 1 encore une bière, s'il vous
plaît **2** noch ein Bier, bitte [nok . . .] **3** un'altra birra,
per favore

answer 1 une réponse [ray-pōns] **2** eine Antwort
[ant-vort] **3** una risposta

antifreeze 1 l'antigel [ōntee-jel] **2** der Frostschutz
[–shɶts] **3** l'antigelo [an-tee-*jay*-loh]

any *see* **some**

anybody, anything *see* **not** *and translations at*
somebody, something

aperitif 1 un apéritif **2** ein Aperitif **3** un aperitivo
[–*tee*-voh]

aperto open

apology 1 des excuses [ex-kooz] **2** eine
Entschuldigung [ent-sh*ɶ*l-dee-gɶng] **3** una scusa
[sk*ɶ*o-sah]

appendicitis 1 l'appendicite [ahpa*n*-dee-seet] **2** die
Blinddarmentzündung [bli*n*t-darm-ent-tsɶn-dɶng]
3 l'appendicite [ap-pen-dee-ch*ee*-tay]

apple *1* une pomme [pom] *2* ein Apfel *3* una mela [m*a*y-lah]

appuyer push

après-ski *1* l'après-ski *2* das Après-ski *3* il dopo-sci [–shee]

April *1* avril [ah-vreel] *2* April [ah-pr*ee*l] *3* aprile [ah-pr*ee*-lay]

area *1* la région [rayj-y$\overline{o}$n] *2* die Gegend [g*a*y-ghent] *3* la zona [ts*o*h-nah]

arm *1* le bras [brah] *2* der Arm *3* il braccio [br*a*h-choh]

arrêt stop

arrival *1* l'arrivée [ahree-vay] *2* die Ankunft [an-k*oo*nft] *3* l'arrivo [ar-r*ee*-voh]

artificial *1* artificiel [ahrtee-fees-yel] *2* künstlich [k$\overline{oo}$nst-lish] *3* artificiale [ar-tee-fee-ch*a*h-lay]

as: **as quickly/as much as you can** *1* aussi rapidement/autant que vous pouvez [oh-see . . ./oh-t$\overline{o}$n ker . . .] *2* so schnell/viel Sie können [zoh shnell/feel zee k*u*rrnen] *3* il più in fretta/il più possibile [eel pew een fr*a*yt-tah . . . poss-s*ee*-bee-lay]
 as good as . . . *1* aussi bon que . . . [oh-see . . .] *2* so gut wie . . . [zoh goot vee] *3* tanto buono quanto . . .

ascenseur lift

ascensore lift

ashtray *1* un cendrier [s$\overline{o}$ndree-yay] *2* ein Aschenbecher [*a*shen-bek*er] *3* un portacenere [por-ta-ch*a*y-nay-ray]

ask *1* demander [derm$\overline{o}$n-day] *2* fragen [fr*a*h-ghen] *3* chiedere [kee-*a*y-day-ray]

asleep: he's (still) asleep *1* il dort (encore) [eel dor . . .] *2* er schläft (noch) [air shlayft (no*k*)] *3* è (ancora) addormentato [eh . . .]

aspirin *1* une aspirine [aspee-reen] *2* eine Schmerztablette *3* un'aspirina [as-pee-r*ee*-nah]

asthma *1* l'asthme [assm] *2* das Asthma [asst-mah] *3* l'asma

at *1* à [ah] *2* an *3* a [ah]

attenzione caution

Aufzug lift

August *1* août [oot] *2* August [$\overline{o}$w-g*oo*st] *3* agosto

Ausgang exit

Auskunft information

außer Betrieb out of order

Austria *1* l'Autriche [oh-treesh] *2* Österreich

[*u*rr-ster-rysh] **3** l'Austria [ows-tree-ah]

Austrian 1 autrichien [oh-treesh-yā̄n]
2 österreichisch [–ish], *(man)* Österreicher, *(woman)*
Österreicherin [ows-*tree*-a-koh] **3** austriaco [ows-tree-ah-koh]

automatic 1 automatique **2** automatisch [ōw-toh-m*ah*-tish] **3** automatico [ow-toh-m*ah*-tee-koh]

autumn 1 l'automne [oh-ton] **2** der Herbst [hairpst]
3 l'autunno [ow-t*oo*n-noh]

avalanche 1 une avalanche [ahva̅-lō̄nsh] **2** eine
Lawine [lah-vee-nuh] **3** una valanga

is there any danger of avalanche? 1 est-ce qu'il y a
un risque d'avalanche? [eskeel-yah ā̄n reesk . . .] **2** ist
Lawinengefahr? **3** c'è pericolo di valanghe? [. . .–gay]

baby-sitter 1 un baby-sitter **2** ein Babysitter **3** una
baby-sitter

back *(part of the body)* **1** le dos [doh] **2** der Rücken
[r*ōō*cken] **3** la schiena [skee-*ay*-nah]

  backache 1 des maux de reins [moh der rā̄n]
2 Rückenschmerzen [–shmairts-en] **3** mal di schiena

  broken back 1 une fracture de la colonne [frak-toor
der lah koh-lonn] **2** ein gebrochenes Rückgrat
[gheh-br*ō̄*ken-es r*ōō*ck–] **3** una frattura della colonna
vertebrale [. . . vayr-tay-br*ah*-lay]

  I'll be back soon 1 je reviens dans un moment [jer
rerv-yā̄n . . .] **2** ich bin bald wieder da [ish bin balt
veeder dah] **3** torno subito [. . . *soo*-bee-toh]

  can I have it back? 1 est-ce que vous pouvez me le
rendre? [esker voo poo-vay mer ler rō̄ndr] **2** kann ich
es wiederhaben? [kann ish ess v*ee*der-hah-ben]
3 posso averlo indietro? [. . . een-dee-*eh*-troh]

  come back! 1 revenez! [rerver-nay] **2** kommen Sie
zurück! [. . . zee tsoo-r*ōō*ck] **3** torni indietro!

  at the back 1 derrière [dair-yair] **2** hinten **3** dietro
[dee-*eh*-troh]

bacon 1 du bacon [bay-kern] **2** Speck [shpeck]
3 pancetta [pan-ch*ay*t-tah]

bad 1 mauvais [moh-vay] **2** schlecht [shl*ek*t] **3** cattivo
[kat-*tee*-voh]

  too bad! 1 tant pis! [tō̄n pee] **2** Pech! [p*ek*]
3 pazienza! [pa-tzee-*e*n-tzah]

Bad bathroom

bag 1 un sac **2** ein Beutel [b*oy*-tel] **3** una borsa

KEY 1 FRENCH **2** GERMAN **3** ITALIAN

(handbag) **1** un sac à main [sak ah mān] **2** eine Tasche [tash-uh] **3** una borsetta

ski bag 1 une housse pour les skis [hoos . . .] **2** ein Futteral [foot-uh-ral] **3** una borsa porta-sci [. . . por-tah-sh*ee*]

bagno bathroom

Bahnsteig platform

baker's 1 la boulangerie [boolōnj-ree] **2** der Bäcker [becker] **3** il panettiere [pa-nayt-*yeh*-ray]

balaclava 1 un passe-montagne [pahs-mōn-tan] **2** eine Kapuze [kap*oo*ts-uh] **3** un passamontagna [pas-sa-mon-t*a*n-yah]

banana 1 une banane [bah-nan] **2** eine banane [bananuh] **3** una banana

band 1 l'orchestre [or-kestr] **2** das Orchester [orkester] **3** l'orchestra

bandage 1 un bandage [bōn-dahj] **2** ein Verband [fair-bannt] **3** una benda

crêpe bandage 1 une bande Velpeau [bōnd vel-poh] **2** eine elastische Binde [. . . binduh] **3** una benda di garza elastica [. . . g*a*hr-tzah . . .]

bank *(establishment)* **1** une banque [bōnk] **2** eine Bank **3** una banca

bar 1 un bar **2** eine Bar **3** un bar
(of lift) **1** la perche [pairsh] **2** die Stange [shtang-uh] **3** l'asse [*a*s-say], la sbarra

bar of chocolate 1 une tablette de chocolat [tah-blet der shohkoh-lah] **2** eine Tafel Schokolade [t*a*h-fel shok-oh-l*a*hduh] **3** una tavoletta di cioccolata [. . . dee chok-ko-l*a*h-tah]

barmaid 1 la serveuse [sair-verz] **2** die Bardame [b*a*r-dam-uh] **3** la cameriera [ka-may-ree-*eh*-rah]

barman 1 le barman [b*a*hr-man] **2** der Barkeeper **3** il barista [ba-r*ee*s-tah]

basket *(on ski pole)* **1** le disque [deesk], la rondelle [rōn-del] **2** der Teller **3** la rondella

bath 1 un bain [bān]; *(tub)* une baignoire [bay-nwahr] **2** ein Bad [baht] **3** un bagno [b*a*n-yoh]; *(tub)* una vasca

to have a bath 1 prendre un bain [prōndr ān bān] **2** ein Bad nehmen [ine baht n*a*y-men] **3** fare il bagno [f*a*h-ray . . .]

bathroom 1 la salle de bain [sahl der bān] **2** das Badezimmer [b*a*h-duh-tsimmer] **3** il bagno [b*a*n-yoh] be **1** être [aitr] **2** sein [zine] **3** essere [es-say-ray]

	FRENCH	GERMAN	ITALIAN
I am	je suis	ich bin	sono
	[jer swee]	[ish bin]	[soh-noh]
you are	vous êtes	Sie sind	sietè
	[vooz ayt]	[zee zinnt]	[eh]
(informal)	tu es	du bist	sei
	[too ay]	[doo . . .]	[say]
he is	il est	er ist	è
	[eel ay]	[air isst]	[eh]
we are	nous sommes	wir sind	siamo
	[noo som]	[veer zinnt]	[see-ah-moh]
you are	vous êtes	ihr seid	siete
	[vooz ayt]	[eer zite]	[see-ay-tay]
they are	ils sont	sie sind	sono
	[eel sōn]	[zee zinnt]	[soh-noh]

 don't be 1 ne soyez pas [ner swah-yay pah] **2** seien
 Sie nicht [zye-en zee nisht] **3** non sia [non see-ah]
beans **1** des haricots [ahree-koh] **2** die Bohnen
 [boh-nen] **3** i fagioli [ee fa-joh-lee]
beautiful **1** beau (belle) [boh, bel] **2** schön [shurrn]
 3 bello
because **1** parce que [pahrser-ker] **2** weil [vile]
 3 perché [per-kay]
 because of 1 à cause de [ah kohz der] **2** wegen
 [vayghen] **3** a causa di [ah kow-zah dee]
bed **1** un lit [lee] **2** ein Bett **3** un letto
 I am going to bed 1 je vais me coucher [jer vay mer
 koo-shay] **2** ich geh' ins Bett [ish gay inz . . .] **3** vado a
 dormire [vah-doh ah dor-mee-ray]
bedroom **1** une chambre [shōnbr] **2** ein Schlafzimmer
 [shlahf-tsimmer] **3** una camera da letto
beer **1** une bière [bee-yair] **2** ein Bier [beer] **3** una
 birra [beer-rah]
 draught beer 1 une bière pression [. . . prays-yōn]
 2 ein Bier vom Faß [. . . fass] **3** una birra alla spina
 [. . . spee-nah]
» *TRAVEL TIP:* **1** *for the equivalent of a half-pint of
 draught lager ask for 'un demi pression'; the standard
 measure is 330 cl (¹/₂ pint = 270 cl)* **2** *in Germany,
 you may hear: Pils oder Export? (Pils is stronger);
 ein großes oder ein kleines? large or small (large = 0.5*

KEY 1 FRENCH **2** GERMAN **3** ITALIAN

....

*litre, small = 0.2); eine Halbe = 0.5 litre = 0.9 pints;
eine Maß typical in Bavaria = 1 litre*

before *1* avant [ah-vōn] *2* vor [for] *3* prima di
[pree-mah dee]

beginner: I'm a beginner *1* je débute [jer
day-boot] *2* ich bin ein Anfänger [ish bin ine
an-fenger] *3* sono un principiante
[. . . preen-chee-pee-an-tay]

behind *1* derrière [dair-yair] *2* hinter *3* dietro
[dee-eh-troh]

bell *(at door)* *1* la sonnette [soh-net] *2* die Klingel *3* il
campanello

belong: that belongs to me *1* c'est à moi [sayt ah
mwah] *2* das gehört mir [dass gheh-hurrt meer] *3* mi
appartiene [mee ap-par-tee-ay-nay]

below *1* au-dessous (de . . .) [oh der-soo (der)] *2* unter
[oonter] *3* sotto

belt *1* une ceinture [sān-toor] *2* ein Gürtel
[goortel] *3* una cintura [cheen-too-rah]

bend *(in road)* *1* un virage [vee-rahj] *2* eine Kurve
[koor-vuh] *3* una curva [koor-vah]

besetzt (toilet) engaged; (bus) full

best *1* meilleur [may-yerr] *2* beste [best-uh]
3 migliore [meel-yoh-ray]

better *1* meilleur [may-yerr] *2* besser *3* migliore
[meel-yoh-ray]
are you feeling better? *1* est-ce que vous vous sentez
mieux? [esker voo voo sōn-tay myer] *2* geht es Ihnen
besser? [gayt ess ee-nen besser] *3* si sente meglio? [see
sen-tay mel-yoh]

between *1* entre [ōntr] *2* zwischen [tsvishen] *3* tra

big *1* grand [grōn] *2* groß [grohss] *3* grande [—day]

biglietti tickets

bill: could I have the bill, please? *1* l'addition, s'il
vous plaît [lahdees-yōn . . .] *2* zahlen, bitte! [tsah-len
bittuh] *3* il conto, per favore

billets tickets

bin *(dustbin)* *1* une poubelle [poo-bel]
2 ein Mülleimer [mool-eye-muh]
3 una pattumiera [pat-toom-yeh-rah]

binario platform

bindings *(ski)* *1* les fixations [feexahs-yōn] *2* die
Bindung [—oong] *3* gli attacchi [at-tak-kee]
safety bindings *1* les fixations de sécurité

[. . . saykoo-ree-tay] *2* die Sicherheitsbindung [zisher-hites–] *3* gli attacchi di sicurezza [. . . dee see-koo-ra*y*-tzah]

touring bindings *1* les fixations de randonnée [. . . rōndoh-nay] *2* die Tourenbindung *3* gli attacchi a rotazione [. . . ro-tah-tzee-*oh*-nay]

toe-piece *1* la butée [boo-tay] *2* das Zehenteil [tsay-en-tile] *3* il pezzo della punta [p*e*t-tzoh d*e*l-lah p*oo*n-tah]

heel piece *1* la talonnière [tahlohn-yair] *2* das Fersenteil [fair-zen-tile] *3* il pezzo posteriore (degli attacchi) [p*e*t-tzoh pos-tay-ree-*oh*-ray . . .]

forward/sideways release *1* le déclenchement frontal/latéral [dayklōnsh-mōnfrōn-tal/lahtay-ral] *2* die Auslösung nach vorn/zur Seite [ōwss-lurr-z*oo*ng nah*k* forn/tsoor zy-tuh] *3* lo sganciamento frontale/laterale [sgan-cha-m*ay*n-toh . . .–lay]

heel release *1* le déclenchement au talon [. . . oh tah-lōn] *2* die Fersenautomatik [fair-zen-ōw-toh-mah-teek] *3* lo sganciamento al tacco

could you adjust my bindings? *1* est-ce que vous pouvez régler mes fixations? [esker voo-poo-vay ray-glay . . .] *2* könnten Sie mir die Bindung einstellen? [kurrnten zee meer dee bind*oo*ng ine-shtellen] *3* potrebbe regolarmi gli attacchi? [po-tr*ay*b-bay ray-go-l*a*r-mee . . .]

bird *1* un oiseau [wah-zoh] *2* ein Vogel [f*oh*-ghel] *3* un uccello [oo-ch*e*l-loh]

birthday: it's my birthday *1* c'est mon anniversaire [. . . ahnee-vair-sair] *2* ich habe Geburtstag [. . . gheh-b*oo*rts-tahg] *3* è il mio compleanno [eh eel m*ee*-oh kom-play-*a*n-noh]

happy birthday! *1* joyeux anniversaire! [jwah-yerz . . .] *2* Herzlichen Glückwunsch! [hairts-lishen glōock-v*oo*nsh] *3* buon compleanno! [bwon . . .]

bitter *(taste)* *1* amer [ah-mair] *2* bitter *3* amaro

black *1* noir [nwahr] *2* schwarz [shvarts] *3* nero [n*ay*-roh]

blanket *1* une couverture [koovair-toor] *2* eine Decke [deck-uh] *3* una coperta

bleed: he's bleeding *1* il saigne [sayn] *2* er blutet

[bloo-tet] **3** sanguina [san-gwee-nah]

blind **1** aveugle [ah-vergl] **2** blind [blinnt] **3** cieco [che*h*-koh]

blister **1** une ampoule [ō̄n-pool] **2** eine Blase [blah-zuh] **3** una vescica [vay-s*h*ee-kah]

blizzard **1** une tempête de neige [tōn-payt der nej] **2** ein Schneesturm [shnay-shtŏŏrm] **3** una tormenta

blocked *(pipe etc)* **1** bouché [boo-shay] **2** verstopft [fair-sht*o*pft] **3** bloccato
(road etc) **1** barré [bah-ray] **2** blockiert [block-*ee*rt] **3** bloccato

blood **1** le sang [sōn] **2** das Blut [bloot] **3** il sangue [san-gway]
blood group **1** le groupe sanguin [groop sōn-ghan] **2** die Blutgruppe [bloot-grŏŏp-uh] **3** il gruppo sanguigno [grŏŏp-poh san-gw*ee*n-yoh]
high blood pressure **1** de la tension [tōns-yōn] **2** hohe Blutdruck [hoh-uh bloot-dr*oo*ck] **3** la pressione alta [prays-yoh-nay . . .]

blouse **1** un chemisier [shermeez-yay] **2** eine Bluse [bloo-zuh] **3** una camicetta [ka-mee-ch*a*yt-tah]

blue **1** bleu [bler] **2** blau [bl*ō*w] **3** blu

board: full board **1** la pension complète [pōns-yōn kōn-plet] **2** Vollpension [foll penz-ee-ohn] **3** la pensione completa [pen-see-*oh*-nay . . .]
half board **1** la demi-pension **2** Halbpension [halp–] **3** la mezza pensione [met-tzah . . .]

bob(sleigh) **1** le bob **2** der Bob [bop] **3** il bob
two-man bob **1** le bob à deux **2** der Zweierbob [tsvyer–] **3** il bob a due [. . . doo-ay]

bobble-cap **1** un bonnet à pompon [boh-nay ah pōn-pōn] **2** eine Ski-Mütze mit Pommel [shee-mŏŏts-uh . . .] **3** un berretto di lana [. . . dee l*a*h-nah]

body **1** le corps [kor] **2** der Körper [kurrper] **3** il corpo
(water) **1** bouillir [boo-yeer] **2** kochen [k*o*k-en] **3** bollire [–ray]
boiled egg **1** un oeuf à la coque [ān̄n erf ah lah kok] **2** ein gekochtes Ei [geh-k*o*ktes eye] **3** un uovo alla coque [wo-voh *a*l-lah kok]

bone **1** un os [oss] **2** ein Knochen [kuh-n*o*ken] **3** un osso
(in fish) **1** une arête [ah-ret] **2** eine Gräte

[grayt-uh] **3** una spina [spee-nah]

book *(noun)* **1** un livre [leevr] **2** ein Buch [book] **3** un libro [lee-broh]
(verb) **1** réserver [rayzair-vay] **2** bestellen [buh-shtellen] **3** prenotare [pray-no-tah-ray]

boot *(of car)* **1** le coffre [kofr] **2** der Kofferraum [–rōwm] **3** il portabagagli [por-ta-ba-gal-yee]
(shoe) **1** une chaussure [shoh-soor] **2** ein Stiefel [shteefel] **3** uno stivale [stee-vah-lay]

border 1 la frontière [frōnt-yair] **2** die Grenze [grents-uh] **3** il confine [kon-fee-nay]

boring 1 ennuyeux [ōn-nwee-yer] **2** langweilig [lang-vile-ik] **3** noioso [no-yoh-soh]

borrow 1 emprunter [ōnprãn-tay] **2** borgen [bor-ghen] **3** avere in prestito [a-vay-ray een pres-tee-toh]

both 1 les deux [lay der] **2** beide [by-duh] **3** entrambi [en-tram-bee]

bottle 1 une bouteille [boo-tey] **2** eine Flasche [flash-uh] **3** una bottiglia [bot-teel-yah]
bottle-opener 1 un ouvre-bouteille [oovr-boo-tey] **2** ein Flaschenöffner [flash-en-urrfner] **3** un apribottiglia

bottom: at the bottom *(of the hill)* **1** en bas (de la colline) [ōn bah . . .] **2** am Fuß (des Berges) [foos (daiss bairghes)] **3** in fondo (alla collina) [. . . kol-lee-nah]

bowl 1 une coupe [koop] **2** eine Schüssel [shōossel] **3** una scodella [skoh-dell-ah]

box 1 une boîte [bwaht] **2** eine Schachtel [shahktel] **3** una scatola [skah-toh-lah]

boyfriend: my boyfriend 1 mon ami [mōnn ah-mee] **2** mein Freund [mine froynt] **3** il mio ragazzo [mee-oh ra-gat-tzoh]; *(older)* il mio amico

bra 1 un soutien-gorge [soot-yãn-gorj] **2** ein BH [bay-hah] **3** un reggiseno [reh-jee-say-noh]

braces 1 des bretelles [brer-tel] **2** die Hosenträger [hohzen-traigher] **3** le bretelle [bray-tel-lay]

brake 1 freiner [fray-nay] **2** bremsen [brem-zen] **3** frenare [fray-nah-ray]

brandy 1 un cognac [kohn-yak] **2** ein Weinbrand [vine-brannt] **3** un brandy

---

....

bread *1* du pain [pãn] *2* das Brot [broht] *3* il pane [p*ah*-nay]

    sliced bread *1* du pain en tranches [. . . trõnsh] *2* aufgeschnittenes Brot *3* pane affettato

break *1* casser [kah-say] *2* brechen [breshen] *3* rompere [rom-pay-ray]

    I've broken my leg/arm *1* je me suis cassé la jambe/le bras [jer mer swee kah-say . . .] *2* ich habe mir das Bein/den Arm gebrochen [ish h*ah*-buh meer . . . gheh-bro*ken*] *3* ho rotto la gamba/il braccio

breakdown *(of car)* *1* une panne [pan] *2* eine Panne [pan-nuh] *3* un guasto [gw*as*-toh]

breakfast *1* le petit déjeuner [per-tee dayjer-nay] *2* das Frühstück [fr*oo*-st*oo*ck] *3* la colazione [ko-la-tzee-*oh*-nay]

» *TRAVEL TIP: don't necessarily expect a cooked breakfast; usually coffee with bread and butter or croissants*

breast *1* le sein [sãn] *2* die Brust [br*oo*st] *3* il petto

breathe: I can't breathe *1* j'ai de la peine à respirer [. . . respee-ray] *2* ich bekomme keine Luft [ish buh-kommuh kine-uh l*oo*ft] *3* non posso respirare [. . . res-pee-r*ah*-ray]

bridge *1* un pont [põn] *2* eine Brücke [br*oo*ckuh] *3* un ponte [pon-tay]

brighten up: will it brighten up later? *1* est-ce que ça va s'éclaircir plus tard? [. . . sayklair-seer . . .] *2* wird es sich später aufklaren? [veerd ess zish spayter *ow*f-klah-ren] *3* si rischiarerà più tardi? [see rees-kee-a-ray-r*ah* pew t*ar*-dee]

bring *1* apporter [ahpor-tay] *2* bringen *3* portare [por-t*ah*-ray]

Britain *1* la Grande-Bretagne [grõnd-brer-tan] *2* Großbritannien [grohss-bri-t*ah*n-ee-un] *3* la Gran Bretagna [. . . bray-t*an*-yah]

    British *1* britannique [breetan-neek] *2* britisch [br*ee*-tish] *3* brittanico

brochure *1* un prospectus [prospek-toos] *2* ein Prospekt *3* un opuscolo [o-poos-ko-loh]

broken: it's broken *1* c'est cassé [say kah-say] *2* es ist kaputt *3* è rotto [eh . . .]

brother: my brother *1* mon frère [mõn frair] *2* mein Bruder [mine brooder] *3* mio fratello [m*ee*-oh . . .]

brown *1* brun (brune) [brãn, broon] *2* braun [br*ow*n]

3 marrone [mar-*roh*-nay]

bruise 1 une contusion [kōntooz-yōn] **2** ein blauer Fleck [ine blōw-er . . .] **3** una ammaccatura

brush 1 une brosse [bross] **2** eine Bürste [bōorstuh] **3** una spazzola [spat-tzo-lah]

bulb: the bulb's gone 1 l'ampoule a sauté [lān-pool ah soh-tay] **2** die Birne ist durchgebrannt [dee beern-uh isst dōorsh-gheh-brannt] **3** la lampadina è rotta [lah lam-pa-*dee*-nah . . .]

bumbag 1 une banane [bah-nan] **2** eine Gürteltasche [gōortel-tashuh] **3** *una borsa-marsupio* [−mar-*soo*-pee-oh]

burn 1 une brûlure [broo-loor] **2** eine Brandwunde [brannt-vōon-duh] **3** una scottatura

bus 1 l'autobus [otoh-booss] **2** der Bus [bōos] **3** l'autobus [ow-toh-boos]

bust 1 la poitrine [pwah-treen] **2** die Büste [bōostuh] **3** il busto [boos-toh]
see **chest**

busy 1 occupé [ohkoo-pay] **2** beschäftigt [buh-sheft-*ikt*]; *(telephone)* besetzt **3** occupato

but 1 mais [may] **2** aber [ah-ber]; *(in 'not . . . but')* sondern [zondern] **3** ma [mah]

butcher's 1 la boucherie [boosh-ree] **2** der Fleischer [flysher] **3** il macellaio [ma-chel-*lah*-yoh]

butter 1 du beurre [berr] **2** die Butter [bōoter] **3** il burro [boor-roh]

button 1 un bouton [boo-tōn] **2** ein Knopf [kuh-nopf] **3** un bottone [bot-*toh*-nay]

buy 1 acheter [ash-tay] **2** kaufen [kōwfen] **3** comprare [kom-*prah*-ray]

by: by car/train 1 en voiture/avion [ōn . . .] **2** per Auto/Zug [pair . . .] **3** in auto/treno

cabaret 1 un spectacle [spek-tahkl] de variétés **2** das Varieté [vah-ree-ay-*tay*] **3** il cabaret

cable 1 le câble [kahbl] **2** das Kabel [kah-bel] **3** il cavo [kah-voh]

cable car 1 le téléphérique [taylay-fay-reek] **2** die Seilbahn [zyle-bahn] **3** la funivia [−*vee*-ah]
when is the next trip up/down? 1 quand part la prochaine benne? [kōn pahr lah pro-shen ben] **2** wann geht die nächste Bahn hinauf/hinunter? [van gayt dee

---

....

next-uh bahn hin-ōwf/hin-ϖnter] **3** quando parte la
prossima corsa discesa/salita? [... p*a*r-tay ...
dee-sh*ay*-sah/sa-*lee*-tah]

caduta massi falling rocks

cafe 1 un (restaurant-)snack **2** ein Café **3** uno
snack-bar

cagoule 1 une cagoule [kah-gool] **2** ein Windhemd
[v*i*nnt-hemmt] **3** una cagoule

caisse cash desk

cake 1 un gâteau [gah-toh] **2** ein Kuchen [koo*k*en]
3 una pasta

call 1 appeler [ap-lay] **2** rufen [r*ϖ*fen] **3** chiamare
[kee-ah-m*a*h-ray]
   what is this called? 1 comment ça s'appelle?
   [koh-m*ō*n sah sah-pel] **2** wie nennt man das? **3** come
   si chiama? [*k*oh-may see kee-*ah*-mah]

call box 1 une cabine téléphonique [kah-been
taylay-foh-neek] **2** eine Telefonzelle [−tsell*u*h] **3** un
telefono pubblico [tay-l*e*h-fo-noh p*oo*b-blee-koh]

camera 1 un appareil-photo [appah-rey ...] **2** eine
Kamera **3** una macchina fotogr*a*fica
[m*a*k-kee-nah ...]

can¹: a can of beer 1 une bière en boîte **2** eine Dose
Bier [ine-uh d*o*h-zuh beer] **3** una lattina di birra
[... dee b*ee*r-rah]

can²: can I have ...? 1 est-ce que je peux avoir ...?
[esk*e*r jer per ah-vwahr] **2** kann ich ... haben? [kann
ish ... h*a*h-ben] **3** posso avere ...? [... a-v*ay*-ray]
   can you ...? 1 est-ce que vous pouvez ...? [... voo
   poo-vay] **2** können Sie ...? [k*u*rrnen zee] **3** può ...?
   [pwoh]
   he can't ... 1 il ne peut pas ... [... p*e*r ...] **2** er
   kann nicht ... [air ...] **3** non può ...
   we can't ... 1 nous ne pouvons pas
   [... poo-v*ō*n ...] **2** wir können nicht ... [veer ...]
   3 non possiamo ... [... poss-*yah*-moh]
   they can't ... 1 ils ne peuvent pas ...
   [... p*e*rv ...] **2** sie können nicht ... **3** non p*o*ssono
I can't ski 1 je ne sais pas skier [jer ner say pah
skee-yay] **2** ich kann nicht ski laufen [... shee
l*ō*w-fen] **3** non so sciare [... sh*a*h-ray]

Canada 1 le Canada **2** Kanada **3** il Canada

cancel 1 annuler [ahnoo-lay] **2** rückgängig machen
[r*ϖ*ck-geng-i*k* mah*k*en] **3** annullare [an-nool-*la*h-ray]

candle *1* une bougie [boo-jee] *2* eine Kerze [ka*i*rts-uh] *3* una candela [–*day*-lah]

cap *1* une casquette [kas-ket] *2* eine Mütze [m\overline{oo}ts-uh] *3* un berretto

car *1* la voiture [vwah-toor] *2* das Auto, der Wagen [\overline{o}w-toh, va*h*-ghen] *3* l'auto [*ow*-toh], la macchina [m*a*k-kee-nah]

carafe *1* une carafe [kah-raf] *2* eine Karaffe [kar-*a*ffuh] *3* una caraffa

card *1* une carte [kahrt] *2* eine Karte [k*a*rt-uh] *3* una carta [k*a*r-tah]

careful: be careful *1* soyez prudent [swah-yay proo-d\overline{o}n] *2* seien Sie vorsichtig [zy-en zee for-zik-tik] *3* stia attento

carpet *1* un tapis [tah-pee] *2* ein Teppich [t*e*ppish] *3* un tappeto [tap-p*ay*-toh]

carrots *1* des carottes [kah-rot] *2* die Karotten [karotten] *3* le carote [kah-r*oh*-tay]

carry *1* porter [por-tay] *2* tragen [trah-ghen] *3* portare [por-ta*h*-ray]

case *(suitcase)* *1* une valise [vah-leez] *2* ein Koffer *3* una valigia [va-lee-jah]

cash *(a cheque)* *1* encaisser [\overline{o}nkay-say] *2* einlösen [*ine*-lurrzen] *3* riscuotere [rees-kwo*h*-tay-ray]

I haven't any cash *1* je n'ai pas d'argent liquide [jer nay pah dahr-j\overline{o}n lee-keed] *2* ich habe es nicht in bar [ish ha*h*-buh ess nisht in bar] *3* non l'ho di moneta [. . . lo dee mo-n*ay*-tah]

cassa *cash point; cashier*

casse-croûte *snack(s)*

cassette *1* une cassette [kah-set] *2* eine Kassette [kah-set-tuh] *3* una cassetta

cat *1* un chat [shah] *2* eine Katze [kats-uh] *3* un gatto

Catholic *1* catholique [kahtoh-leek] *2* katholisch [kah-t*oh*-lish] *3* cattolico [kat-*toh*-lee-koh]

centigrade *1* centigrade [s\overline{o}ntee-grad] *2* Celsius [tsel-zee-*oo*ss] *3* centigradi [chen-*tee*-gra-dee]

» *TRAVEL TIP: to convert C to F:* $\dfrac{C}{5} \times 9 + 32 = F$

centigrade	−20	−10	−5	0	10	15	21	36.9
Fahrenheit	−4	14	23	32	50	59	70	98.4

centimetre *1* un centimètre [s\overline{o}ntee-maitr]

....

2 ein Zentimeter [tsentee-may-ter]
3 un centimetro [chen-tee-may-troh]

» *TRAVEL TIP: 1 cm = 0.39 inches*

central heating 1 le chauffage central [. . . shoh-fahj
sōn-trahl] **2** Zentralheizung [tsen-trahl-hyts-∞ng]
3 riscaldamento centrale [. . . chen-trah-lay]

centre 1 le centre [sōntr] **2** das Zentrum
[tsen-tr∞m] **3** il centro [chen-troh]

chain 1 une chaîne [shairn] **2** eine Kette [kettuh]
3 una catena [ka-tay-nah]

chair 1 une chaise [shairz] **2** ein Stuhl [shtool] **3** una
sedia [seh-dee-ah]
(easy chair) **1** un fauteuil [foh-ter] **2** ein Sessel
[zessel] **3** una poltrona

chairlift 1 le télésiège [tay-lays-yej] **2** der Sessellift
[z–] **3** la seggiovia [seh-joh-vee-ah]

chambermaid 1 la femme de chambre [fam der
shōnbr] **2** das Zimmermädchen [tsimmer-
mayd-shen] **3** la cameriera [ka-may-ree-eh-rah]

chamois 1 un chamois [shah-mwah] **2** eine Gemse
[ghem-suh] **3** un camoscio [ka-mo-shoh]

champagne 1 du champagne [shōn-pan] **2** der Sekt
[zekt] **3** lo champagne [shom-pan-yuh]

champion 1 un champion [shōnp-yōn] **2** ein Meister
[myster] **3** un campione [kamp-yoh-nay]

change 1 changer [shōn-jay] **2** *(money)* umtauschen
[∞m-tōw-shen]; *(bulb, cable)* wechseln [vek-zeln];
(booking, arrangement) ändern [en–]; *(change trains)*
umsteigen [ōm-shty-ghen] **3** cambiare [kam-bee-
ah-ray]; *(change trains)* cambiare treno

I haven't any change 1 je n'ai pas de monnaie [jer
nay pah der moh-nay] **2** ich habe kein Kleingeld [ish
hah-buh kine kline-gelt] **3** non ho moneta [. . . o mo-
nay-tah]

I have to get changed 1 je dois me changer [jer dwah
mer . . .] **2** ich muß mich umziehen [ish m∞ss mish
∞m-tsee-en] **3** devo cambiarmi

chaud hot

chaussée verglacée icy road surface

cheap 1 bon marché [bōn mahr-shay] **2** billig
[billik] **3** a buon mercato [ah bwon mayr-kah-toh]
something cheaper 1 quelque chose de meilleur
marché [. . . may-yer mahr-shay] **2** etwas Billigeres
[etvass billig-er-es] **3** qualcosa di meno caro [. . . dee

m*a*y-noh . . .]

check *1* vérifier [vayreef-yay] *2* checken [tshekken]
3 controllare [–*ah*-ray]

cheek *(face)* *1* la joue [joo] *2* die Backe [b*a*ck-uh] *3* la
guancia [gw*a*n-chah]

cheerio *(bye)* *1* au revoir! [oh rer-vwahr]
2 Wiedersehen, Tschüs [veeder-zay-en, tsh*ōō*ss]
3 ciao [chow]

cheers! *(toast)* *1* santé! [s*ō*n-tay] *2* Prost! [prohst]
3 salute! [–tay]

cheese *1* du fromage [froh-mahj] *2* der Käse
[k*a*y-zuh] *3* il formaggio [for-m*ah*-joh]

chef *1* le chef cuisinier [. . . kweezeen-yay] *2* der Koch
[ko*k*] *3* lo chef

chemist's *1* la pharmacie [farmah-see] *2* die Drogerie
[drohgher-ee]; *(dispensing)* die Apotheke
[apoh-t*a*y-kuh] *3* la farmacia [far-ma-ch*ee*-ah]

cheque *1* un chèque [shek] *2* ein Scheck [sheck] *3* un
assegno [as-s*a*yn-yoh]

   cheque book *1* le carnet de chèques [kar-nay . . .]
2 das Scheckbuch [sheck-bo*k*] *3* il libretto di assegni

   cheque card *1* la carte d'identité bancaire [kart
deed*ō*n-tee-tay b*ō*n-kair] *2* die Scheckkarte
[sheck-kartuh] *3* il cheque card

chest *1* la poitrine [pwah-treen] *2* die Brust [br*ōō*st]
3 il petto [pet-toh]

» *TRAVEL TIP: chest measurements*

UK	34	36	38	40	42	44	46
Continent	87	91	97	102	107	112	117

chewing gum *1* du chewing-gum [shween-gom]
2 der Kaugummi [k*ō*w-g*ōō*mee]
3 la gomma da masticare [–*kah*-raz]

chicken *1* un poulet [poo-lay] *2* ein Hähnchen
[h*a*yn-shen] *3* un pollo

child *1* un enfant [*ō*n-f*ō*n] *2* ein Kind [kint]
3 un bambino [bam-b*ee*-noh]

   my children *1* mes enfants [mayz . . .] *2* meine
Kinder [mine-uh kinder] *3* i miei bambini [ee
mee-*eh*-ee bam-b*ee*-nee]

chips *1* des frites [freet] *2* die Pommes frites [pom
freet] *3* le patatine fritte [lay pa-ta-*tee*-nay freet-tay]

chocolate *1* du chocolat [shohkoh-lah] *2* die

KEY *1* FRENCH *2* GERMAN *3* ITALIAN

Schokolade [shok-oh-*la*hduh] **3** il cioccolato [chok-ko-*lah*-toh]

Christian name 1 le prénom [pray-*nōn*] **2** der Vorname [for-nah-muh] **3** il prenome [pray-*noh*-may]

Christmas: at Christmas 1 à Noël [ah noh-el] **2** an Weihnachten [ahn vy-nah*k*-ten] **3** a Natale [ah na-*tah*-lay]

Christmas Eve 1 la veille [vey] de Noël **2** Heiligabend [hile-i*k*-ahbent] **3** la vigilia di Natale [vee-*jee*l-yah . . .]

Happy Christmas 1 joyeux [jwah-yer] Noël **2** fröhliche Weihnachten [frurrlish-uh . . .] **3** buon Natale! [bwon . . .]

» *TRAVEL TIP:* **1** *Christmas Eve is usually an occasion for a big meal with the family or friends, 'le réveillon'* [rayvay-*yōn*] **2** *Christmas in Germany starts on the 24th (Heiligabend) when work normally stops at midday; presents are given on the evening of the 24th*

church 1 l'église [ay-gleez] **2** die Kirche [*keer*-shuh] **3** la chiesa [kee-*ay*-sah]

chutes de pierres falling rocks

cigar 1 un cigare [see-gar] **2** eine Zigarre [tsig*a*rruh] **3** un sigaro [*see*-ga-roh]

cigarette 1 une cigarette [seegah-ret] **2** eine Zigarette [tsigarr-ettuh] **3** una sigaretta

tipped 1 filtre [feeltr] **2** mit Filter **3** col filtro

plain 1 sans filtre [*sōn* . . .] **2** ohne Filter [oh-nuh . . .] **3** senza filtro [*sen*-tzah . . .]

cine-camera 1 une caméra [kahmay-rah] **2** eine Filmkamera **3** una cinepresa [chee-nay-pr*ay*-sah]

cinema 1 le cinéma [seenay-mah] **2** das Kino [*kee*-noh] **3** il cinema [ch*ee*-nay-mah]

class 1 la classe [klahs] **2** *(train)* die Klasse [klass-uh]; *(lesson)* der Kurs [k*oo*rs] **3** la classe [kl*a*s-say]

clean *(adjective)* **1** propre [prohpr] **2** sauber [*zō*wber] **3** pulito [poo-*lee*-toh]

(verb) **1** nettoyer [naytwah-yay] **2** sauber machen [. . . mah*k*en] **3** pulire [poo-*lee*-ray]

cleansing cream 1 la crème démaquillante [. . . daymah-kee-*yōn*t] **2** die Reinigungscreme [r*i*ne-ee-g*oo*ngs-kray-muh] **3** il detergente [—tay]

clear 1 clair [klair] **2** klar **3** chiaro [kee-*ah*-roh]

(road) **1** dégagé [daygah-jay] **2** frei [fry] **3** libero [*lee*-bay-roh]

cliff *1* une falaise [fah-layz] *2* ein Felsen [fel-zen] *3* un dirupo [dee-*roo*-poh]

climb *1* escalader [eskah-lah-day] *2* besteigen [buh-shty-ghen] *3* scalare [ska-*lah*-ray]
  climber *1* un alpiniste [alpee-neest] *2* ein Bergsteiger [bairk-shty-gher] *3* uno scalatore [–*toh*-ray]

clip *(on ski boot)* *1* la boucle [bookl] *2* eine Schnalle [shnall-uh] *3* la clip (degli scarponi)
  (ski-clip) *1* une attache [ah-tash] *2* ein Halteriemen [hal-tuh-ree-men] *3* una clip ferma-sci [. . .–shee]

clock *1* l'horloge [or-lohj] *2* die Uhr [oor] *3* l'orologio [–*oh*-joh]

close: when do you close? *1* quand est-ce que vous fermez? [kōnt esker voo fair-may] *2* wann machen Sie zu? [van mahken zee tsoo] *3* quando chiudete? [. . . kee-oo-*day*-tay]

cloth *1* le tissu [tee-soo] *2* das Tuch [took] *3* la stoffa [stoff-uh]
  (for wiping) *1* un chiffon [shee-fōn] *2* ein Tuch *3* uno straccio [strah-choh]

clothes *1* les vêtements [vet-mōn] *2* die Kleider [kly-der] *3* i vestiti [ee ves-*tee*-tee]

cloudy *1* nuageux [noo-ah-jer] *2* bewölkt [beh-vurlkt] *3* nuvoloso

coach *1* l'autocar [otoh-kar] *2* der (Reise)bus [(ry-zuh)boos] *3* il pullman

coat *1* un manteau [mōn-toh] *2* ein Mantel *3* un cappotto

coffee *1* un café [kah-fay] *2* ein Kaffee [kaffay] *3* un caffè [kaf-*feh*]
  white coffee *1* un café au lait [. . . oh lay] *2* ein Kaffee mit Milch [. . . mit milsh] *3* un cappuccino [kap-poo-chee-noh]
  black coffee *1* un café noir [. . . nwahr] *2* ein Kaffee ohne Milch [. . .oh-nuh milsh] *3* un caffè

» *TRAVEL TIP:* *1* *If you want a small black coffee, ask for 'un express'; 'café au lait' is hot milk with hot black coffee; 'café crème' is black coffee with a drop of milk or cream* *2* *you may hear:* Kännchen oder Tassen? *pots or cups?* [ken-shen oh-der . . .]; *a pot is usually 2 cups; coffee and cream are always served separately* *3* *In Italy coffee is always served black and very strong; if*

KEY *1* FRENCH *2* GERMAN *3* ITALIAN

....

you want it less strong ask for 'un caffè lungo';
'caffellatte' is hot milk with hot black coffee, at breakfast

coin *1* une pièce (de monnaie) [pee-yes (der
moh-nay)] *2* eine Münze [mōōn-tsuh] *3* una moneta
[mo-n*a*y-tah]

col *1* un col *2* ein Sattel [zattel] *3* un v*a*lico

cold *1* froid [frwah] *2* kalt *3* freddo
   it's cold *(weather)* *1* il fait froid [eel fay . . .]
   2 es ist kalt [ess isst . . .] *3* fa freddo
   I'm cold *1* j'ai froid [jay . . .] *2* ich friere [ish
   free-ruh] *3* ho freddo [o . . .]
   I've got a cold *1* j'ai un rhume [jay *a*n room] *2* ich bin
   erkältet [ish bin air-k*e*ltet] *3* ho il raffreddore
   [. . .–d*o*h-ray]

collar *1* le col [kol] *2* der Kragen [kr*a*h-ghen] *3* il
colletto

» *TRAVEL TIP: continental sizes*

UK (old)	14	14½	15	15½	16	16½	17
Continental	36	37	38	39	41	42	43

collision *1* une collision [kohleez-y*ō*n] *2* ein
Zusammenstoß [tsoo-z*a*mmen-shtohss] *3* uno scontro

colour *1* la couleur [koo-lerr] *2* die Farbe [f*a*r-buh] *3* il
colore [ko-l*oh*-ray]

comb *1* un peigne [pen] *2* ein Kamm *3* un pettine
[p*e*t-tee-nay]

come *1* venir [ver-neer] *2* kommen *3* venire
[vay-n*ee*-ray]
   I/we come *1* je viens/nous venons [jer vee-y*a*n/noo
   ver-n*ō*n] *2* ich komme/wir kommen [ish kommuh/
   veer . . .] *3* vengo/veniamo
   is he coming? *1* est-ce qu'il vient? [eskeel
   vee-y*a*n] *2* kommt er? [kommt air] *3* viene lui?
   [vee-*a*y-nay l*oo*-ee]
   come with me *1* venez [ver-nay] avec moi *2* kommen
   Sie mit! [. . . zee . . .] *3* venga con me [. . . may]

comfortable *1* confortable [k*ō*nfor-tahbl] *2* bequem
[buh-kv*a*ym] *3* comodo [ko-mo-doh]

compartment *(train)* *1* le compartiment
[k*ō*npar-tee-m*ō*n] *2* das Abteil [app-tile] *3* lo
scompartimento

compass *1* une boussole [boo-sohl] *2* ein Kompaß
[kom-pass] *3* una bussola [b*oo*s-so-lah]

compensation *1* un dédommagement [daydoh-mahj-
m*ō*n] *2* Schadenersatz [sh*a*den-airzats]

3 un compenso

complaint *1* une réclamation [rayklah-mahss-yōn]
2 eine Beschwerde [buh-shv*air*-duh] *3* una
lamentela [lah-men-t*ay*-lah]

complicated *1* compliqué [kōnplee-kay] *2* kompliziert
[komplits-eert] *3* complicato

concert *1* un concert [kōn-sair] *2* ein Konzert
[kontsairt] *3* un concerto [kon-ch*ayr*-toh]

congratulations! *1* félicitations! [faylee-see-tahss-yōn]
2 herzlichen Glückwunsch! [hairts-lishen
glōock-vōonsh] *3* complimenti! [−tee]

connection *(train etc)* *1* la correspondance
[kohres-pōn-dōns] *2* die Verbindung [fair-b*i*n-dōong]
3 la coincidenza [ko-een-chee-d*e*n-tzah]

conscious *1* conscient [kōns-yōn] *2* bewußt
[buh-v*oo*st] *3* conscio [kon-shoh]

consigne left luggage

constipation *1* la constipation [kōnstee-pahss-yōn]
2 die Verstopfung [fair-shtopf-ōong]
3 la stitichezza [stee-tee-k*ay*t-tzah]

consulate *1* le consulat [kōnsoo-lah] *2* das Konsulat
[kon-zōol-*ah*t] *3* il consolato

contact lenses *1* les verres [vair] de contact *2* die
Kontaktlinsen [−zen] *3* le lenti a contatto

contraceptive *1* un contraceptif [kōntrah-sep-teef]
2 ein empfängnisverhütendes Mittel [emp-feng-
nis-fair-hōot-end-ess . . .] *3* un contraccettivo
[kon-tra-chet-*tee*-voh]

convenient *1* pratique [prah-teek] *2* günstig
[g*ōo*nstik] *3* conveniente [−*e*n-tay]

cook: it's not cooked *1* ce n'est pas cuit [ser nay pah
kwee] *2* es ist nicht gar *3* è crudo
  cooker *1* la cuisinière [kweezee-nyair] *2* der Herd
  [hairt] *3* la cucina [koo-ch*ee*-nah]

cool *1* frais (fraîche) [fray, fresh] *2* kühl [kōol] *3* fresco

corkscrew *1* un tire-bouchon [teerboo-shōn] *2* ein
Korkenzieher [−tsee-er] *3* un cavatappi

corner *1* un coin [kwān] *2* eine Ecke [*e*ck-uh] *3* un
angolo [*a*n-go-loh]

cornice *1* une corniche [kor-neesh] *2* eine
Schneedecke [shnay-deckuh] *3* una cornice
[kor-n*ee*-chay]

correct *1* correct *2* richtig [r*i*k-tik] *3* corretto

....

cost: what does it cost? 1 combien ça coûte?
[kōnb-yān sah koot] **2** was kostet das? [vass kostet
dass] **3** quanto costa?

cotton 1 du coton [koh-tōn] **2** die Baumwolle
[bōwm-volluh] **3** il cotone [ko-toh-nay]
cotton wool 1 du coton hydrophile
[. . . eedroh-feel] **2** die Watte [vattuh] **3** il cotone
idrofilo [. . . ee-dro-fee-loh]

cough 1 la toux [too] **2** der Husten [hoosten] **3** la tosse
[tos-say]
cough mixture 1 un sirop [see-roh] pour la toux
2 ein Hustensaft [–zaft] **3** uno sciroppo per la tosse
[shee-rop-poh . . .]

could: could you . . .? 1 est-ce que vous pouvez . . .?
[esker voo poo-vay] **2** könnten Sie . . .? [kurrnten
zee] **3** potrebbe . . .? [po-trayb-bay]
could I have . . .? 1 est-ce que je peux avoir . . .?
[esker jer per ah-vwahr] **2** dürfte ich . . . haben?
[dōorf-tuh ish . . . hah-ben] **3** potrei avere . . .?
[po-tray a-vay-ray]

country 1 un pays [pay-ee] **2** ein Land [lannt] **3** un
paese [pa-ay-say]

courier 1 l'accompagnateur [ahkōn-pahn-yah-terr]
2 der Reiseleiter [ry-zuh-ly-ter] **3** la guida
[gwee-dah]

cover (verb) **1** couvrir [koo-vreer] **2** bedecken
3 coprire [ko-pree-ray]

cow 1 une vache [vash] **2** eine Kuh [koo] **3** una mucca
[mook-kah]

crampons 1 des crampons [krōn-pōn] **2** die Steigeisen
[shtyg-eye-zen] **3** i ramponi da ghiaccio [. . . ghee-
ah-choh]

cream 1 la crème [kraym] **2** die Sahne [zah-nuh];
(with butter, for skin) die Creme [kray-muh] **3** la
crema; (fresh) la panna

creche 1 une crèche [kraysh] **2** eine Kinderkrippe
[kinder-krippuh] **3** un asilo nido [a-see-loh nee-doh]

credit card 1 une carte de crédit [. . . kray-dee] **2** eine
Kreditkarte [kredeet-kartuh] **3** una carta di credito
[. . . dee kreh-dee-toh]

crêperie pancake shop

crevasse 1 une crevasse [krer-vahs] **2** eine
Gletscherspalte [gletsher-shpal-tuh] **3** un crepaccio
[kray-pah-choh]

crisps 1 des chips [cheeps] **2** die Chips **3** le patatine [pa-ta-t*ee*-nay]

cross *(noun)* **1** une croix [krwah] **2** ein Kreuz [kroyts] **3** una croce [kr*oh*-chay]
(verb) **1** traverser [trahvair-say] **2** überqueren [ōōberkvay-ren] **3** attraversare [–s*ah*-ray]

cross-country skiing 1 le ski de fond [skee der fōn] **2** der Langlauf [lang-lōwf] **3** lo sci di fondo [shee dee . . .]

» *TRAVEL TIP: cross-country skiing is now very popular in the Alps but it is usually necessary to stay on specially-prepared trails*

crowded: it's crowded 1 il y a beaucoup de monde [eel-yah boh-koo der mōnd] **2** es ist überfüllt [. . . ōōber-fōōlt] **3** è affollato

crutches 1 les béquilles [bay-kee] **2** die Krücken [kr*ōō*-ken] **3** le grucce [gr*oo*-chay]

cup 1 une tasse [tahs] **2** eine Tasse [t*ass*-uh] **3** una tazza [t*at*-tzah]

cupboard 1 une armoire [arm-wahr] **2** ein Schrank [shrank] **3** un armadio [ar-m*ah*-dee-oh]

curling 1 le curling [koor-leeng] **2** das Eisschießen [*ice*-shee-sen] **3** il 'curling'

Customs 1 la douane [dwahn] **2** der Zoll [tsoll] **3** la Dogana

cut 1 couper [koo-pay] **2** schneiden [shny-den] **3** tagliare [tal-y*ah*-ray]
(on skin) **1** une coupure [koo-poor] **2** eine Schnittwunde [shnit-v*oo*nduh] **3** un taglio [tal-yoh]

I've cut myself 1 je me suis coupé [jer mer swee koo-pay] **2** ich habe mich geschnitten [ish h*ah*-buh mish geh-shn*itt*en] **3** mi sono tagliato [mee s*oh*-noh tal-y*ah*-toh]

damage 1 les dégâts [day-gah] **2** der Schaden [shaden] **3** il guasto [gw*as*-toh]
it's damaged 1 c'est abîmé [. . . ahbee-may] **2** es ist beschädigt [ess isst buh-shayd-i*kt*] **3** è danneggiato [eh dan-nay-j*ah*-toh]

Damen *Ladies*

damp 1 humide [oo-meed] **2** feucht [foysht] **3** umido [*oo*-mee-doh]

dance: would you like to dance? 1 voulez-vous

....

danser? [voolay-voo dōn-say] **2** möchten Sie tanzen? [murrshten zee tantsen] **3** vuole ballare? [vwo-lay bal-lah-ray]

dangerous 1 dangereux [dōnj-rer[**2** gefährlich [geh-fair-lish] **3** pericoloso

dark 1 sombre [sōnbr] **2** dunkel [doonkel] **3** scuro

darling: my darling 1 *(to man)* mon chéri [mōn shay-ree]; *(to lady)* ma chérie [mah . . .] **2** Liebling [leep-ling] **3** tesoro

date *(time)* **1** la date [dat] **2** das Datum [dah-toom] **3** la data [dah-tah]
(appointment) **1** un rendez-vous [rōnday-voo] **2** ein Termin [tair-meen] **3** un appuntamento
on the 2nd of February 1 le deux février **2** am zweiten Februar **3** il due febbraio
HOW TO SAY THE DATE (see numbers pp 126–127): **1,3** *use ordinary numbers as shown above; exception: for the first day of the month use* 'premier' [prerm-yay], 'primo' [pree-moh] **2** *add letters '–ten' to the number if 1–19, or '–sten' if 20–31; exception: for the first day of the month use* 'ersten'; *for the third:* 'dritten'; *for the seventh:* 'siebten'

dates *(fruit)* **1** des dattes [dat] **2** die Datteln **3** i datteri [ee dat-tay-ree]

daughter: my daughter 1 ma fille [mah fee] **2** meine Tochter [mine-uh tokter] **3** mia figlia [mee-ah feel-yah]

day 1 un jour [joor] **2** ein Tag [tahg] **3** un giorno [jor-noh]
the day after 1 le lendemain [lōnder-mān] **2** am Tag danach [. . . da-nahk] **3** il giorno dopo
the day before 1 la veille [vay] **2** am Tag zuvor [. . . tsoo-for] **3** il giorno prima

dead 1 mort [mor] **2** tot [toht] **3** morto

deaf 1 sourd [soor] **2** taub [tōwp] **3** sordo

dear 1 cher [shair] **2** teuer [toyer] **3** caro [kah-roh]
dear Jane 1 ma chère Jane [shair . . .] **2** liebe Jane [lee-buh . . .] **3** cara Jane [kah-rah . . .]

December 1 décembre [day-sōnbr] **2** Dezember [dayts–] **3** dicembre [dee-chem-bray]

declare: nothing to declare 1 rien à déclarer [ree-yān nah dayklah-ray] **2** nichts zu verzollen [nix tsoo fair-tsollen] **3** niente da dichiarare [nee-en-tay dah deek-ya-rah-ray]

....

deep *1* profond [proh-fŏn] *2* tief [teef] *3* profondo

défense d'entrer no entry

delay: the flight was delayed *1* le vol a eu du retard
[ler vol ah oo doo rer-tahr] *2* der Flug hatte
Verspätung [dair floog hat-uh fair-shpayt-oong] *3* il
volo ha avuto un ritardo [. . . ah a-voo-toh . . .]

delicious *1* délicieux [daylees-yer] *2* köstlich
[kurrst-lish] *3* delizioso [day-lee-tzee-oh-soh]

dentist *1* le dentiste [dŏn-teest] *2* der Zahnarzt
[tsahn-artst] *3* il dentista

dentures *1* un dentier [dŏnt-yay] *2* ein Gebiß
[gheh-biss] *3* una dentiera [dent-yay-rah]

deodorant *1* un déodorant [day-oh-doh-rŏn] *2* ein
Deodorant [day–] *3* un deodorante [–tay]

departure *1* le départ [day-par] *2* die Abreise
[app-ry-zuh]; *(bus, train)* die Abfahrt *3* la partenza
[par-ten-tzah]

depend: it depends on . . . *1* ça dépend de . . . [sah
day-pŏn der] *2* das kommt auf . . . an *3* dipende
da . . . [dee-pen-day dah]

deposit *(down payment)* *1* un acompte [ah-kŏnt]
2 eine Anzahlung [antsah-loong] *3* un deposito
[day-po-see-toh]
(security) *1* une caution [kohs-yŏn] *2* eine Kaution
[kŏw-tsee-ohn] *3* un deposito

deposito bagagli left luggage

descent *1* la descente [day-sŏnt] *2* die Abfahrt
[app-fahrt] *3* la discesa [dee-shay-sah]

dessert *1* le dessert [day-sair] *2* der Nachtisch
[nahk–] *3* il dolce [dol-chay]

detour *1* un détour [day-toor] *2* ein Umweg
[oom-vegg] *3* una deviazione [–tzee-oh-nay]

develop *(film)* *1* développer [dayv-loh-pay]
2 entwickeln [ent-v–] *3* sviluppare [svee-loop-
pah-ray]

dialling code *1* l'indicatif [ãndee-kah-teef] *2* die
Vorwahl [for-vahl] *3* il prefisso

diarrhoea *1* la diarrhée [dee-yah-ray] *2* der Durchfall
[doorsh-fal] *3* la diarrea [dee-ah-reh-ah]

diary *1* un agenda [ahjŏn-dah] *2* ein Tagebuch
[tah-gheh-book] *3* un diario [dee-ah-ree-oh]

dictionary *1* un dictionnaire [deeks-yon-nair] *2* ein

KEY *1* FRENCH *2* GERMAN *3* ITALIAN

....

Wörterbuch [vurr-ter-book] 3 un dizionario
[dee-tzee-oh-nah-ree-oh]

didn't *see* not

diet: I'm on a diet 1 je suis au régime [jer swee oh
ray-jeem] 2 ich mache eine Schlankheitskur [ish
mahk-uh ine-uh shlank-hites-koor] 3 sono a dieta
[. . . dee-ay-tah]

different 1 différent [deefay-rón] 2 verschieden
[fair-shee-den] 3 diverso [dee-ver-so]

difficult 1 difficile [deefee-seel] 2 schwierig
[shveerik] 3 difficile [deef-fee-chee-lay]

dining room 1 la salle à manger [sahl ah mōn-jay]
2 das Eßzimmer [ess-tsimmer]; *(in hotel)* der
Speisesaal [shpy-zuh-zahl] 3 la sala da pranzo
[. . . pran-tzoh]

dinner 1 le dîner [dee-nay] 2 das Abendessen
[ah-bent–] 3 la cena [chay-nah]

dirty 1 sale [sahl] 2 schmutzig [shmootsik] 3 sporco

disabled 1 handicapé [ōndee-kah-pay] 2 behindert
[buh-hinndert] 3 invalido [een-vah-lee-doh]

disco 1 une discothèque [–tek] 2 eine Disko 3 una
discoteca

discount 1 un rabais [rah-bay] 2 ein Rabatt 3 uno
sconto

dish 1 un plat [plah] 2 *(food)* ein Gericht [gheh-risht],
(plate) eine Schüssel [shōossel] 3 un piatto
[pee-at-toh]

disinfectant 1 un désinfectant [dayzān-fek-tōn]
2 ein Desinfektionsmittel [days-infek-tsee-ohns–]
3 un disinfettante [–tay]

disqualified 1 disqualifié [deeskah-leef-yay]
2 disqualifiziert [diss-kval-if-itz-eert]
3 disqualificato [dees-kwah-lee-fee-kah-toh]

distress signal 1 un signal de détresse [seen-yal der
day-tres] 2 ein Notsignal [noht-zignahl] 3 un segnale
di soccorso [sayn-yah-lay dee . . .]

divieto di . . . do not . . .

divorced 1 divorcé [deevohr-say] 2 geschieden
[gheh-sheeden] 3 divorziato [dee-vor-tzee-ah-toh]

dizzy: I feel dizzy 1 j'ai la tête qui tourne [jay lah tait
kee toorn] 2 mir ist schwindelig [meer isst
shvindelik] 3 ho le vertigini [o lay ver-tee-jee-nee]

do 1 faire [fair] 2 machen [mahken] 3 fare [fah-ray]
how do you do? 1 comment allez-vous? [koh-mónt

ah-lay voo] **2** guten Tag [gooten tahg] **3** piacere
[pee-a-ch*ay*-ray]
what are you doing tonight? **1** qu'est-ce que vous
faites ce soir? [kesker voo fayt ser swahr] **2** was
machen Sie heute abend? [vass . . . zee hoytuh
ah-bent] **3** cosa fa stasera? [. . '-*say*-rah]
I've never done it before **1** je n'ai jamais fait ça
[. . . jah-may fay sah] **2** ich habe das noch nie gemacht
[ish h*a*h-buh dass no*k* nee gheh-mah*k*t] **3** non l'ho mai
fatto [non lo m*a*h-ee f*a*t-toh]
doctor **1** un docteur [dok-terr] **2** ein Arzt [arts-t] **3** un
medico [*meh*-dee-koh]
YOU MAY HEAR . . . **1** est-ce que vous avez déjà eu ça?
have you had this before?; où est-ce que ça vous fait
mal? *where does it hurt?;* est-ce que vous prenez des
médicaments? *are you taking any drugs?* **2** haben Sie
das schon einmal gehabt? *have you had this before?;* wo
tut es weh? *where does it hurt?;* nehmen Sie zur Zeit
Medikamente? *are you taking any drugs at the
moment?* **3** l'è mai successo prima? *have you had this
before?;* dove le fa male? *where does it hurt?;* sta
prendendo delle medicine? *are you taking any drugs?*
dog **1** un chien [shee-y*a*n] **2** ein Hund [h*oo*nt]
3 un cane [k*a*h-nay]
dogana Customs
don't! **1** non! [n*ō*n] **2** nicht! [nisht] **3** no!
see also **not**
door **1** la porte [pohrt] **2** die Tür [t*ōō*r] **3** la porta
douane Customs
double: double room **1** une chambre pour deux
[sh*ō*nbr poor der] **2** ein Doppelzimmer [–tsimmer]
3 una camera a due letti [k*a*h-may-rah ah d*oo*-ay let-
tee]; *(with double bed)* una camera matrimoniale
[–ee-*a*h-lay]
double bed **1** un grand lit [gr*ō*n lee] **2** ein
Doppelbett **3** un letto matrimoniale
double whisky **1** un double whisky [doobl . . .]
2 ein doppelter Whisky **3** un whisky doppio
[. . . d*o*p-pee-oh]
douche shower
down **1** en bas [*ō*n bah] **2** unten [*oo*nten] **3** giù [joo]
downstairs **1** au rez-de-chaussée

[rayd-shoh-say] **2** unten **3** dabbasso

downhill 1 en aval [ōnn ah-val] **2** bergab
[bairg-*a*pp] **3** a valle [ah v*a*l-lay]
  the downhill ski 1 le ski aval **2** der Talski
  [t*a*hl-shee] **3** lo ski a valle
  downhill race 1 la descente [day-sōnt] **2** das
  Abfahrtsrennen [*a*p-fahrts–] **3** la discesa l*i*bera
  [dee-sh*a*y-zah . . .]
drag lift 1 le téléski [taylay-skee] **2** der Schlepplift
  [shlepplift] **3** il traino [trah-*ee*-noh]
  see **ski lift**
drain *(in bathroom)* **1** le tuyau d'écoulement [twee-yoh
  daykool-mōn] **2** das (Abfluß)rohr [(app-flōoss)-ror]
  3 il tubo di scarico [t*oo*-boh dee sk*ah*-r*ee*-koh]
draught *see* **beer**
dress 1 une robe [rohb] **2** ein Kleid [klite] **3** un vestito
  [ves-*tee*-toh]
  dressed 1 habillé [ahbee-yay] **2** angezogen
  [–tsoh-ghen] **3** vestito
dressing *(on wound)* **1** un pansement [pōns-mōn]
  2 ein Verband [fair-bannt] **3** una medicazione
  [may-dee-ka-tzee-*oh*-nay]
  (on salad etc) **1** l'assaisonnement [ahsay-zon-
  mōn] **2** die Sauce [zohsuh] **3** il condimento
drink 1 boire [bwahr] **2** trinken **3** bere [b*ay*-ray]
  would you like a drink? 1 désirez-vous boire
  quelque chose? [dayzee-ray-voo . . .]
  2 möchten Sie etwas trinken? [murrshten
  zee . . .] **3** vuole bere qualcosa? [vw*oh*-lay . . .]
  drinkable *(water)* **1** potable [poh-tahbl]
  2 trinkbar **3** potabile [po-t*ah*-bee-lay]
drive 1 conduire [kōn-dweer] **2** fahren
  3 guidare [gwee-d*ah*-ray]
driving licence 1 le permis [pair-mee] de
  conduire **2** der Führerschein [fōorer-shine]
  3 la patente [pa-ten-tay]
droguerie *hardware shop*
drug 1 un médicament [maydee-kah-mōn]
  2 ein Medikament **3** un f*a*rmaco
drunk 1 ivre [eevr] **2** betrunken [buh-tr*oo*nken]
  3 ubriaco [oo-bree-*ah*-koh]
dry *(adjective)* **1** sec (sèche) [sek, sesh] **2** trocken
  3 asciutto [a-sho*ot*-toh]; *(wine)* secco
  (verb) **1** sécher [say-shay] **2** trocknen **3** asciugare

[ah-shoo-*gah*-ray]
where can I dry these? *1* où est-ce que je peux faire
sécher ça? [wesker jer per fair say-shay sah] *2* wo
kann ich diese hier trocknen? [voh kan ish dee-zuh
heer . . .] *3* dove posso farli asciugare? [*doh*-vay . . .
far-lee a-shoo-*gah*-ray]
dry ski slope *1* la piste artificielle [peest artee-fees-
yel] *2* die Trockenschneepiste [–shnay-piss-tuh]
3 la pista di neve artificiale [. . . dee *nay*-vay ar-tee-
fee-ch*ah*-lay]
during *1* pendant [p*ōn*-d*ōn*] *2* während [vair-rent]
3 durante [doo-*ran*-tay]
each *1* chaque [shahk] *2* jeder [yay-duh] *3* ciascuno
[chas-*koo*-noh]
ear *1* l'oreille [oh-ray] *2* das Ohr [or] *3* l'orecchio
[or-*rayk*-yoh]
ear flaps *1* les oreillettes [ohray-yet] *2* die
Ohrenklappen [or-ren–] *3* i paraorecchie
[pah-rah-oh-*rek*-yay]
earlier *1* plus tôt [ploo toh] *2* früher [fr*ōō*-uh] *3* prima
[pr*ee*-mah]
east *1* à l'est [ah lest] *2* nach Osten [nah*k* oss-ten]
3 all'est
Easter: at Easter *1* à Paques [ah pahk] *2* an Ostern
[ahn oh-stern] *3* a Pasqua [ah p*as*-kwah]
Easter Monday *1* le lundi [l*ān*-dee] de
Pâques *2* Ostermontag *3* la pasquetta
easy *1* facile [fah-seel] *2* leicht [lysht] *3* facile
[f*ah*-chee-lay]
eat *1* manger [m*ōn*-jay] *2* essen *3* mangiare
[man-j*ah*-ray]
eau potable *drinking water*
edges *(of skis)* *1* les carres [kahr] *2* die Kanten
[kan-ten] *3* gli spigoli [sp*ee*-goh-lee]
edging (one's skis) *1* une prise de carres
[preez . . .] *2* das Umkanten *3* una spigolata
[spee-goh-l*ah*-tah]
could you sharpen the edges? *1* est-ce que vous
pouvez aiguiser les carres? [esker voo poo-vay
aygee-zay . . .] *2* könnten Sie die Kanten schleifen?
[kurrnten zee . . . shlife-en] *3* può affilare gli spigoli?
egg *1* un oeuf [erf] *2* ein Ei [eye] *3* un uovo [*wo*-voh]

KEY *1* FRENCH *2* GERMAN *3* ITALIAN

elastic 1 élastique [aylass-teek] 2 elastisch 3 elastico [ay-l*a*s-tee-koh]

  elastic band 1 un élastique 2 ein Gummiband [g*oo*mee-bannt] 3 un elastico

elbow 1 le coude [kood] 2 der Ellbogen [*e*l-boh-ghen] 3 il gomito [go-mee-toh]

electric 1 électrique [aylek-treek] 2 elektrisch 3 elettrico [ay-let-tree-koh]

  electric blanket 1 une couverture chauffante [koovair-toor shoh-f*ont] 2 eine Heizdecke [*hi*tes-deckuh] 3 una coperta elettrica

electricity 1 l'électricité [aylek-tree-see-tay] 2 die Elektrizität [elek-trits-i-t*ay*t] 3 l'elettricità [ay-layt-tree-chee-t*ah*]

else: something/somebody else 1 quelque chose/quelqu'un d'autre [kelker-shoz/kel-k*ān* dohtr] 2 etwas jemand anderes [ett-vass/yay-mannt . . .] 3 qualcosa/qualcun d'altro [kwal–. . .]

  somewhere else 1 ailleurs [ah-yerr] 2 irgendwo anders [eer-ghent-voh . . .] 3 da qualche altra parte [dah-kw*a*l-kay *a*l-trah p*a*r-tay]

emergency 1 une urgence [oor-j*ō*ns] 2 ein Notfall [noht-fal] 3 un'emergenza [ay-mayr-jen-tzah]

empty 1 vide [veed] 2 leer [layr] 3 vuoto [vwo-toh]

end 1 la fin [f*ā*n] 2 das Ende 3 la fine [fee-nay]

engaged 1 occupé [ohkoo-pay] 2 besetzt [buh-z*e*tzst] 3 occupato

  (to be married) 1 fiancé [fee-*ō*n-say] 2 verlobt [fair-l*oh*bt] 3 fidanzato [fee-dan-tz*ah*-toh]

engine 1 le moteur [moh-terr] 2 der Motor [moh-t*o*r] 3 il motore [mo-t*oh*-ray]

England 1 l'Angleterre [*ō*ngler-tair] 2 England [eng-glannt] 3 l'Inghilterra [een-gheel-t*e*r-rah]

  English 1 anglais [*ō*n-glay] 2 englisch; *(man)* Engländer; *(woman)* Engländerin 3 inglese [een-gl*a*y-say]

enough 1 assez [ah-say] 2 genug [gheh-noog] 3 abbastanza [ab-bah-st*a*n-tzah]

  not big enough/enough money 1 pas assez grand/d'argent 2 nicht groß genug/genug Geld 3 non abbastanza grande/soldi

  that's enough 1 ça suffit [sah soo-fee] 2 das reicht [dass rysht] 3 basta

entrance 1 l'entrée [*ō*n-tray] 2 der Eingang [ine-gang]

3 l'entrata

envelope 1 une enveloppe [ōnv-lop] **2** ein Umschlag [oom-shlahg] **3** una busta [boos-tah]

equipment *(sport etc)* **1** le matériel [mahtayr-yel] **2** die Ausrüstung [ōws-rōost-oong] **3** l'attrezzatura [at-trayt-tsa-*too*-rah]

erste Hilfe first aid

evening: this evening 1 ce soir [ser swahr] **2** heute abend [hoytuh ah-bent] **3** stasera [–*say*-rah]

every 1 chaque [shahk] **2** jeder [yay-duh] **3** ogni [on-yee]

everyone 1 tous [toos] **2** alle **3** tutti [*toot*-tee] *N.B. all plural*

everything 1 tout [too] **2** alles [al-uhs] **3** tutto

everywhere 1 partout [pahr-too] **2** überall [ōōber-al] **3** dappertutto

exact 1 exact [ayg-zakt] **2** genau [gheh-*now*] **3** esatto

exchange rate 1 le taux de change [toh der shōnj] **2** der Wechselkurs [vek-sel-koors] **3** il cambio [kam-bee-oh]

excuse me 1 pardon Monsieur *(or* Madame, Mademoiselle) [pahr-dōn mers-yer, mah-dam, mahd-mwah-zell] **2** entschuldigen Sie! [ent-shool-dig-en zee] **3** *(to get past)* permesso; *(to get attention)* scusi [skoo-zee]; *(apology)* mi scusi [mee . . .]

exhausted 1 épuisé [ay-pwee-zay] **2** erschöpft [air-shupft] **3** sfinito [sfee-*nee*-toh]

exit 1 la sortie [sohr-tee] **2** der Ausgang [ōws-gang] **3** l'uscita [oo-*shee*-tah]

expect: I'm expected 1 je suis attendu [jer swee ahtōn-doo] **2** man erwartet mich [mann air-*va*rtet mish] **3** sono atteso [. . . at-*tay*-soh]

expensive 1 cher [shair] **2** teuer [toy-er] **3** caro [*kah*-roh]

explain 1 expliquer [explee-kay] **2** erklären [air-kl*ai*ren] **3** spiegare [spee-ay-*gah*-ray]

exposure: he's suffering from exposure 1 il souffre des effets du froid [eel soofr dayz ay-fay doo frwah] **2** er leidet an Unterkühlung [air ly-det an oonter-*kōō*l-oong] **3** soffre da assideramento [sof-ray dah as-see-day-rah-*mayn*-toh]

express *(send letter)* **1** par exprès [pahr ex-pres] **2** per

---

Expreß [pair express] **3** espresso

extra: is it extra? 1 est-ce que c'est en supplément? [esker say õn sooplay-mõn] **2** wird das extra berechnet? [veert das ex-trah buh-resh-net] **3** è extra? [eh . . .]

eye 1 l'oeil [er-ee] **2** das Auge [ōw-guh] **3** l'occhio [ok-yoh]; *(plural)* **1** les yeux [yer] **2** die Augen **3** gli occhi [lee ok-kee]

face 1 le visage [vee-zahj] **2** das Gesicht [gheh-zisht] **3** la faccia [fah-chah]

facing: facing south/north 1 orienté au sud/nord [ohr-yõn-tay oh sood/nor] **2** auf der Südseite/ Nordseite [ōwf dair zōōd-zy-tuh/nort–] **3** esposto a sud/nord [. . . sood . . .]

Fahrenheit *see* **centigrade**

faint: she's fainted 1 elle s'est évanouie [el sayt ayvah-nwee] **2** sie ist ohnmächtig geworden [zee isst ohn-mesh-tik gheh-vorden] **3** è svenuta [eh . . .]

fair: that's not fair 1 ce n'est pas juste [ser nay pah joost] **2** das ist nicht fair **3** non è giusto [. . . eh joos-toh]

fall 1 tomber [tõn-bay] **2** fallen [fal-en] **3** cadere [kah-day-ray]

he's fallen 1 il est tombé **2** er ist gefallen [air isst gheh–] **3** è caduto [eh . . .]

family 1 la famille [fah-mee] **2** die Familie [fam-ee-lee-uh] **3** la famiglia [fa-meel-yah]

far 1 loin [lwãn] **2** weit [vite] **3** lontano

how far? 1 à quelle distance? [ah kel dees-tõns] **2** wie weit? [vee . . .] **3** quanto dista? [. . . dees-tah]

fare *(travel)* **1** le prix du billet [pree doo bee-yay] **2** der Fahrpreis [fahr-price] **3** il prezzo (del) biglietto [(pret-tzoh dayl) beel-yet-toh]

half fare 1 le demi-tarif [der-mee tah-reef] **2** halber Fahrpreis **3** la tariffa ridotta

fast *(adjective)* **1** rapide [rah-peed] **2** schnell **3** veloce [vay-loh-chay]

father: my father 1 mon père [mõn pair] **2** mein Vater [mine fah–] **3** mio padre [mee-oh pah-dray]

fault: it's not my fault 1 ce n'est pas de ma faute [ser nay pahd mah foht] **2** das ist nicht meine Schuld [dass isst nisht mine-uh shoolt] **3** non è colpa mia [. . . mee-ah]

February 1 février [fayvree-ay] **2** Februar

[fay-broo-ar] 3 febbraio [feb-brah-yoh]

femmes *women*

fermé *closed*

fever 1 la fièvre [fee-yaivr] 2 das Fieber [feeber] 3 la
febbre [fĕb-bray]

few: few people 1 peu de gens [per der jŏn] 2 wenige
Leute [vay-nig-uh loy-tuh] 3 poca gente [. . . jen-tay]
a few days 1 quelques jours [kel-ker joor] 2 ein paar
Tage [ine pahr tah-guh] 3 qualche giorno [kwal-kay
jor-noh]

fiancé: my fiancé 1 mon fiancé [mŏn fee-yŏn-say]
2 mein Verlobter [mine fair-lohb-ter] 3 mio fidanzato
[mee-oh fee-dan-tzah-toh]
my fiancée 1 ma fiancée 2 meine Verlobte [mine-uh
fair-lohb-tuh] 3 mia fidanzata

fill 1 remplir [rŏn-pleer] 2 füllen [fŏŏl-en] 3 riempire
[ree-aym-pee-ray]

filling *(in tooth)* 1 un plombage [plŏn-bahj] 2 eine
Plombe [plom-buh] 3 un'otturazione [–tzee-oh-nay]

film 1 un film 2 ein Film 3 un film
35 mm film 1 un film 24 × 36 [. . . vānt-kat trŏn-sees]
2 ein 35 Millimeter Film [fŏŏnf-oont-dry-tsik . . .] 3 una
pellicola da 35 mm [. . . trayn-tah cheen-kway . . .]
20 exposure film 1 un film de vingt poses
[. . . pohz] 2 ein Film mit zwanzig Aufnahmen
[. . . ōwf–] 3 una pellicola da venti

filter 1 un filtre [feeltr] 2 ein Filter 3 un filtro

find 1 trouver [troo-vay] 2 finden [finn-den] 3 trovare
[tro-vah-ray]
I've found a . . . 1 j'ai trouvé un . . . [jay . . .] 2 ich
habe ein . . . gefunden [ish hah-buh ine . . . gheh-
foonden] 3 ho trovato un . . . [o . . .]

finger 1 le doigt [dwah] 2 der Finger [finng-uh] 3 il
dito [dee-toh]
fingernail 1 un ongle [ōngl] 2 ein Fingernagel
[–nah-ghel] 3 un'unghia [oon-ghee-ah]

finish *(of race)* 1 l'arrivée [ahree-vay] 2 das Ziel
[tseel] 3 la linea d'arrivo [lee-nay-ah dah-ree-voh]
I haven't finished 1 je n'ai pas fini [jer nay pah
fee-nee] 2 ich bin noch nicht fertig [ish bin nok nisht
fair-tik] 3 non ho finito [non o fee-nee-toh]

fir 1 un sapin [sah-pān] 2 eine Tanne [tan-uh] 3 un

KEY 1 FRENCH 2 GERMAN 3 ITALIAN

....

abete [ah-b*ay*-tay]

fire 1 un feu [fer] **2** ein Feuer [foy-uh] **3** un fuoco [fwo-koh]
(blaze: house on fire etc) **1** un incendie [ānsōn-dee]
2 ein Brand [brannt] **3** un fuoco

  the fire brigade 1 les pompiers [lay pōnp-yay] **2** die Feuerwehr [–vair] **3** i vigili del fuoco [ee *vee*-jee-lee del fwo-koh]

  fire extinguisher 1 un extincteur [ex-tānk-terr]
2 ein Feuerlöscher [–lurrscher] **3** un estintore [ays-teen-*toh*-ray]

first 1 premier [prerm-yay] **2** erste [air-stuh] **3** primo [*pree*-moh]

  first aid 1 les premiers secours [. . . ser-koor] **2** erste Hilfe [. . . hill-fuh] **3** il pronto soccorso

  first aid kit 1 une trousse [troos] de premiers secours **2** ein Verbandskasten [fair-b*a*nnts–] **3** una cassetta di [dee] pronto soccorso

fish 1 du poisson [pwah-sōn] **2** der Fisch **3** il pesce [p*ay*-shay]

  fish fingers 1 des bâtonnets de poisson [bahtoh-nay . . .] **2** Fischstäbchen [f*i*sh-shtayp-shen] **3** sofficini de pesce [sof-fee-ch*ee*-nee . . .]

fit *(healthy)* **1** en forme [ōn form] **2** in Form **3** in forma

  it doesn't fit me 1 ça ne me va pas [sann mer vah pah] **2** es paßt mir nicht [. . . passt . . .] **3** non mi sta bene [. . . stah b*ay*-nay]

flag 1 un drapeau [drah-poh] **2** eine Fahne [fah-nuh] **3** una bandiera [ban-dee-*ay*-rah]

flashcube 1 une ampoule de flash [ōn-pool . . .] **2** ein Blitzwürfel [–vōor-fel] **3** un flash

flat 1 plat [plah] **2** flach [flah*k*] **3** piatto [pee-*a*t-toh]
(noun) **1** un appartement [ahpahr-ter-mōn] **2** eine Wohnung [voh-n*oo*ng] **3** un appartamento

flight 1 un vol **2** ein Flug [floog] **3** un volo

floor: on which floor? 1 à quel étage? [ah kel ay-tahj] **2** in welchem Stock? [. . . vel-shem shtock] **3** a che piano? [ah kay pee-*a*-noh]

  on the ground floor 1 au rez-de-chaussée [oh rayd-shoh-say] **2** im Erdgeschoß [im *a*irt-gheh-shoss] **3** a pian terreno [ah pee-*a*n tayr-r*ay*-noh]

  on the floor 1 par terre [par tair] **2** auf dem Boden [ōwf daym b*o*h-den] **3** per terra

flour 1 de la farine [fah-reen] **2** das Mehl [mayl] **3** la farina [fah-*ree*-nah]

flu *1* la grippe [greep] *2* die Grippe [gr*i*p-uh]
3 l'influenza [een-floo-*e*n-tzah]

foggy: it's foggy *1* il y a du brouillard [eel-yah doo
broo-yahr] *2* es ist neblig [. . . n*a*y-bli*k*] *3* c'è nebbia
[cheh n*a*yb-bee-ah]

follow *1* suivre [sweevr] *2* folgen [foll-ghen] *3* seguire
[say-g*w*ee-ray]

food *1* la nourriture [nooree-toor] *2* das Essen;
(groceries) die Lebensmittel [lay-benz–] *3* il cibo
[ch*ee*-boh]

 food poisoning *1* une intoxication alimentaire
[a̅ntohksee-kahs-yo̅n ahlee-mo̅n-tair]
2 Lebensmittelvergiftung [–fair-gh*i*f-t*oo*ng]
3 un avvelenamento da cibo

foot *1* le pied [pee-yay] *2* der Fuß [fooss] *3* il piede
[pee-*ay*-day]

» *TRAVEL TIP: 1 foot = 30.1 cm = 0.3 m*

for *1* pour [poor] *2* für [f*o̅o̅*r] *3* per [payr]

foreign *1* étranger [aytro̅n-jay] *2* ausländisch
[o̅ws-lend-ish] *3* straniero [stran-*yeh*-roh]

forest *1* une forêt [foh-ray] *2* ein Wald [valt] *3* una
foresta

forget *1* oublier [ooblee-yay] *2* vergessen
[fair-gh*e*ssen] *3* dimenticare [dee-men-tee-k*ah*-ray]

fork *1* une fourchette [foor-shet] *2* eine Gabel
[g*ah*-bel] *3* una forchetta [for-k*ay*t-tah]

forward *(mail)* *1* faire suivre [fair sweevr]
2 nachsenden [nah*k*-zenden] *3* inoltrare
[ee-nol-tr*ah*-ray]

fracture *1* une fracture [frak-toor] *2* ein Bruch
[br*oo*k] *3* una frattura [frat-*too*-rah]

fragile *1* fragile [frah-jeel] *2* zerbrechlich
[tsair-br*e*k-lish] *3* fragile [fr*ah*-jee-lay]

franc *1* un franc [fro̅n]

France *1* la France [fro̅ns] *2* Fr*a*nkreich [–rysh] *3* la
Francia [fr*a*n-chah]

free *1* libre [leebr]; *(no charge)* gratuit [grah-twee]
2 frei [fry] *3* libero [*lee*-bay-roh]; *(no charge)*
gratis

freestyle *1* le ski acrobatique [skee ahkroh-bah-tik]
2 das 'Freestyle' *3* il 'freestyle', lo stile libero

French 1 français [frōn-say] **2** französisch [frants-*u*rr-zisch]; *(man)* Franzose [frants-oh-zuh]; *(woman)* Französin [frants-*u*rr-zin] **3** francese [fran-ch*ay*-say]

fresh 1 frais (fraîche) [fray, fraish] **2** frisch **3** fresco

Friday 1 vendredi [vōndrer-dee] **2** Freitag [fry-tahg] **3** venerdì [vay-nayr-d*ee*]

fridge 1 un frigo [free-goh] **2** ein Kühlschrank [k*oo*l–] **3** un frigo [free-goh]

fried 1 frit [free] **2** gebraten **3** fritto [freet-toh]
   fried egg 1 un oeuf sur le plat [ān nerf soor ler plah] **2** ein Spiegelei [ine shpeeghel-eye] **3** un uovo fritto [wo-voh . . .]

friend 1 un ami (une amie) [ah-mee] **2** ein Freund (eine Freundin) [froynt] **3** un amico (un'amica) [a-m*ee*-koh]

friendly 1 sympathique [sānpah-teek] **2** freundlich [froynt-lish] **3** cordiale [kor-dee-*ah*-lay]

from 1 de [der] **2** von [fon] **3** da

front: in front of 1 devant [der-vōn] **2** vor [for] **3** davanti a

frost 1 le gel [jel] **2** der Frost **3** il gelo [jay-loh]
   frostbite 1 des gelures [jer-loor] **2** die Frostbeule [–boy-luh] **3** il congelamento [kon-jay-la-m*e*n-toh]

frozen 1 gelé [jer-lay] **2** *(river)* zugefroren [tsoo-gheh-froren]; *(person)* eiskalt [ice-kalt] **3** gelato [jay-l*ah*-toh]

fruit 1 des fruits [frwee] **2** das Obst [ohbst] **3** la frutta [froot-tah]
   fruit salad 1 une macédoine de fruits [mahsay-dwahn . . .] **2** ein Obstsalat [ohbst-zal-*a*ht] **3** una macedonia [ma-chay-d*o*n-yah]

frying pan 1 une poêle [pwahl] **2** eine Bratpfanne [br*a*ht-pfann-uh] **3** una padella

full 1 plein [plān] **2** voll [foll] **3** pieno [pee-*ay*-noh]

fumeurs: non-fumeurs no smoking

fun: it's fun 1 c'est amusant [sayt ahmoo-zōn] **2** das macht Spaß [dass mah*k*t shpass] **3** è divertente [eh dee-vayr-t*e*n-tay]

funny 1 drôle [drohl] **2** komisch [k*o*h–] **3** buffo [b*oo*f-foh]

fuse 1 un fusible [foo-zeebl] **2** eine Sicherung [zisher-*œ*ng] **3** un fusibile [foo-*see*-bee-lay]

gammon 1 du jambon fumé [jōn-bōn foo-may] **2** der

Vorderschinken [for-duh-shinken] **3** il prosciutto affumicato [pro-shoot-toh af-foo-mee-kah-toh]

garage **1** le garage [gah-rahj] **2** (repair) die Werkstatt [vairk-shtatt]; (petrol) die Tankstelle [–shtel-uh]; (parking) die Garage [ga-rah-djuh] **3** il garage [ga-rah-jay]

garlic **1** l'ail [as 'eye'] **2** der Knoblauch [kuh-nohp-lōwk] **3** l'aglio [al-yoh]

gas **1** le gaz [gahz] **2** das Gas **3** il gas

gate (in race) **1** une porte [pohrt] **2** ein Tor **3** una porta

gents' **1** les toilettes (pour messieurs) [lay twah-let poor mays-yer] **2** die Herrentoilette [heh-ren-twah-lettuh] **3** la toilette [twa-let]

German **1** allemand [al-mōn] **2** deutsch [doytsh]; (man) Deutscher; (woman) Deutsche [doytsh-uh] **3** tedesco

Germany **1** l'Allemagne [al-mann] **2** Deutschland [doytsh-lannt] **3** la Germania [jayr-man-yah]

get: will you get me a . . .? **1** est-ce que vous pouvez me chercher un . . .? [esker voo poo-vay mer shair-shay . . .] **2** holen Sie mir bitte ein . . .? [hoh-len zee meer bittuh ine] **3** mi può prendere un . . .? [mee pwoh pren-day-ray oon]

get off 1 descendre [day-sōndr] **2** aussteigen [ōwss-shty-ghen] **3** scendere [shen-day-ray]

I get up at 7 1 je me lève à sept heures [jer mer laiv . . .] **2** ich stehe um 7 Uhr auf [ish shtay-uh . . .] **3** mi alzo alle sette [mee al-tzoh al-lay set-tay]

gin and tonic 1 un gin and tonic **2** ein Gin Tonic **3** un gin and tonic

girl 1 une fille [fee] **2** ein Mädchen [mayd-shen] **3** una ragazza [ra-gat-tzah]

my girlfriend 1 mon amie [mōnn ah-mee] **2** meine Freundin [mine-uh froyn-din] **3** la mia ragazza [mee-ah . . .]

give 1 donner [doh-nay] **2** geben [gay-ben] **3** dare [dah-ray]

glacier 1 le glacier [glahs-yay] **2** der Gletscher [gletsher] **3** il ghiacciaio [ghee-ah-chah-yoh]

glass 1 un verre [vair] **2** ein Glas **3** un bicchiere [beek-yeh-ray]

---

glasses *1* les lunettes [loo-net] *2* die Brille [brill-uh]
3 gli occhiali [ok-*yah*-lee]

gloves *1* les gants [gõn] *2* die Handschuhe
[h*a*nnt-shoo-uh] *3* i guanti [ee gw*a*n-tee]

glue *1* de la colle [kol] *2* der Klebstoff [kl*a*yp-shtoff]
3 la colla

go *1* aller [ah-l*a*y] *2* gehen [gay-en]; *(by vehicle)*
fahren *3* andare [–r*a*y]

 he's/they are going there on Sunday *1* il y va/ils y
vont dimanche [eel ee vah/eel zee võn . . .] *2* er
geht/sie gehen am Sonntag dahin *3* ci va/ci vanno
domenica [chee . . .]

 I'm/we are going there tomorrow *1* j'y vais/nous y
allons demain [jee vay/noo zee ah-lõn . . .] *2* ich
gehe/wir gehen morgen dahin *3* ci vado/ci andiamo
domani

 where are you going? *1* où allez-vous? [oo ah-lay
voo] *2* wo gehen Sie hin? *3* dove va? [d*oh*-vay vah]

 he's gone *1* il est parti [eel ay pahr-tee] *2* er ist weg
[air isst vek] *3* è andato via [eh . . . *vee*-ah]

 go down *1* descendre [day-sõndr] *2* *(walking)*
hinuntergehen; *(driving, skiing)* hinunterfahren
3 scendere [sh*e*n-day-ray]

 go in *1* entrer [õn-tray] *2* eintreten *3* entrare [–ray]

 go out *1* sortir [sohr-teer] *2* hinausgehen *3* uscire
[oo-sh*ee*-ray]

 go up *1* monter [mõn-tay] *2* *(walking)*
hinaufsteigen; *(lift etc)* hinauffahren *3* salire
[sa-l*ee*-ray]

goat *1* une chèvre [shaivr] *2* eine Ziege [ts*ee*-guh]
3 una capra

God *1* Dieu [dee-yer] *2* Gott *3* Dio [d*ee*-oh]

goggles *1* des lunettes protectrices [loo-net
prohtek-trees] *2* die Schneebrille [shnay-brill-uh]
3 gli occhiali da neve [lee ok-*yah*-lee dah n*a*y-vay]

gold *1* l'or *2* das Gold [gollt] *3* l'oro

gondola lift *1* le télécabine [taylay-kah-been] *2* die
Gondelbahn *3* la telecabina

good *1* bon [bõn] *2* gut [goot] *3* buono [bw*o*-noh]

 good! *1* très bien! [tray bee-yãn] *2* gut! [goot]
3 bene! [b*a*y-nay]

 good luck! *1* bonne chance! [bonn shõns] *2* viel
Glück! [feel gl*oo*ck] *3* buona fortuna! [bw*o*h-nah . . .]

 good morning, good afternoon *1* bonjour

(Monsieur *or* Madame *or* Mademoiselle) [bōn-joor mers-yer, mah-dam, mad-mwah-zel] **2** guten Tag [goo-ten tahg] **3** buon giorno [bwon jor-noh]

good evening 1 bonsoir (Monsieur *or* Madame *or* Mademoiselle) [bōn-swahr . . .] **2** guten Abend [goo-ten ah-bent] **3** buona sera [. . . *say*-rah]

good night 1 bonne nuit! [bonn nwee] **2** gute Nacht [gootuh nah*k*t] **3** buona notte [. . . *not*-tay]

Good Friday 1 le Vendredi Saint [vōndrer-dee sān] **2** der Karfreitag [–fry-tahg] **3** il Venerdì Santo [–*dee* . . .]

goodbye 1 au revoir! [oh rer-vwahr] **2** auf Wiedersehen [ōwf vee-duh-zayn] **3** arrivederci [ar-ree-vay-d*ayr*-chee]

gramme 1 un gramme [gram] **2** ein Gramm **3** un grammo

» *TRAVEL TIP: 100 grammes = 3½ oz*

grapefruit 1 un pamplemousse [pōnpler-moos] **2** eine Grapefruit **3** un pompelmo

grapes 1 du raisin [ray-zān] **2** Trauben [trōw-ben] **3** l'uva [*oo*-vah]

grass 1 l'herbe [airb] **2** das Gras **3** l'erba [*er*-bah]

gratuit free

green 1 vert [vair] **2** grün [grōōn] **3** verde [vayr-day]

grey 1 gris [gree] **2** grau [grōw] **3** grigio [gree-joh]

grilled 1 grillé [gree-yay] **2** gegrillt **3** alla griglia [. . . gre*el*-yah]

grocer's 1 une épicerie [aypees-ree] **2** der Kaufmann [kōwf–] **3** un negozio alimentari [nay-go-tzee-oh . . .]

ground: on the ground 1 par terre [par tair] **2** auf dem Boden [ōwf daym boh-den] **3** a terra

group 1 un groupe [groop] **2** eine Gruppe [grōop-uh] **3** un gruppo [groop-poh]

guasto out of order

guest 1 un invité [ānvee-tay] **2** ein Gast **3** un'ospite [os-pee-tay]

guide 1 un guide [gheed] **2** ein Führer [fōōruh] **3** una guida [gwee-dah]

mountain guide 1 le guide de haute-montagne [gheed der oht-mōn-tan] **2** der Bergführer [b*air*k–] **3** la guida alpina [gwee-dah al-*pee*-nah]

guitar 1 une guitare [ghee-tahr] **2** eine Gitarre

....

[ghee-ta-ruh] **3** una chitarra [kee-tar-rah]

gully 1 le couloir [kool-wahr] **2** die Schlucht [shlꝏkt] **3** il canalone [ka-nah-loh-nay]

gums 1 les gencives [jon-seev] **2** die Gaumen [gow-men] **3** le gengive [jen-jee-vay]

hail 1 la grêle [grayl] **2** der Hagel [hah-ghel] **3** la grandine [gran-dee-nay]

hair 1 les cheveux [sher-ver] **2** das Haar **3** i capelli [ee . . .]

hairbrush 1 une brosse à cheveux [bross . . .] **2** eine Haarbürste [–bꝏr-stuh] **3** una spazzola per capelli [spat-tzo-lah . . .]

hairdresser's 1 un coiffeur [kwah-ferr] **2** ein Friseur [free-zurr] **3** un parrucchiere [par-rook-yay-ray]

hairdrier 1 un sèche-cheveux [sesh-sher-ver] **2** ein Haartrockner **3** un asciugacapelli [ah-shoo-gah–]

half 1 la moitié [mwaht-yay] **2** halb [halp] **3** una metà [may-tah]

half an hour 1 une demi-heure [der-mee-err] **2** eine halbe Stunde [. . . shtoon-duh] **3** mezz'ora

ham 1 du jambon [jon-bon] **2** der Schinken **3** il prosciutto [pro-shoot-toh]

hamburger 1 un hamburger [onberr-gherr] **2** ein Hamburger **3** un hamburger

hand 1 la main [man] **2** die Hand [hannt] **3** la mano

handkerchief 1 un mouchoir [moo-shwahr] **2** ein Taschentuch [tash-en-took] **3** un fazzoletto [fat-tzoh-layt-toh]

handle 1 la poignée [pwahn-yay] **2** der Griff **3** la maniglia [ma-neel-yah]

hanger 1 un cintre [santr] **2** ein Kleiderbügel [kly-duh-bꝏ-gel] **3** una gruccia [groo-chah]

hang-gliding 1 le vol en aile delta [. . . onn el del-tah] **2** das Drachenfliegen [drahk-en-flee-ghen] **3** il volo col deltaplano

hangover 1 la gueule de bois [gerl der bwah] **2** der Kater [kahter] **3** il mal di [dee] capo (dopo una sbornia)

happen: what's happening/happened? 1 qu'est-ce qui se passe/s'est passé? [keskee ser pahs/say pah-say] **2** was ist los? [vass isst lohs] **3** cosa succede/è successo? [. . . soo-chay-day . . .]

happy 1 heureux [er-rer] **2** glücklich [glꝏk-lish] **3** contento

....

hard 1 dur [door] **2** hart; *(difficult)* schwierig [shvee-ri*k*] **3** duro [d*oo*-roh]
  hard-boiled egg 1 un oeuf dur [erf door] **2** ein hartgekochtes Ei [–gheh-ko*k*-tes eye] **3** un uovo sodo [w*o*-voh . . .]

harsch eisen 1 les couteaux à neige [koo-toh ah nej] **2** das Harscheisen **3** i ramponi per gli sci [ram-p*oh*-nee . . .]

hat 1 un bonnet [boh-nay] **2** ein Hut [hoot]; *(knitted)* eine Mütze [m*oo*t-suh] **3** un cappello

have 1 avoir [ah-vwahr] **2** haben [h*a*h-ben] **3** avere [a-*vay*-ray]

	FRENCH	GERMAN	ITALIAN
I have	j'ai	ich habe	ho
	[jay]	[ish h*a*h-buh]	[oh]
you have	vous avez	Sie haben	ha
	[vooz ah-vay]	[zee hah-ben]	[ah]
(informal)	tu as	du hast	hai
	[too ah]	[doo hasst]	[h*a*h-ee]
he has	il a	er hat	ha
	[eel ah]	[air hat]	[ah]
we have	nous avons	wir haben	abbiamo
	[nooz ah-v*ōn*]	[veer . . .]	[–*ah*-moh]
you have	vous avez	ihr habt	avete
	[vooz ah-vay]	[eer . . .]	[–*vay*-tay]
they have	ils ont	sie haben	hanno
	[eelz *ōn*]	[zee . . .]	[*an*-noh]

  do you have any cigars/a map? 1 est-ce que vous avez des cigares/une carte? [esker vooz ah-vay . . .] **2** haben Sie Zigarren/eine Karte? [h*a*h-ben zee . . .] **3** ha dei sigari/una pianta? [ah day s*ee*-ga-ree . . .]

he 1 il [eel] **2** er [air] **3** lui [*loo*-ee]

head 1 la tête [tait] **2** der Kopf **3** la testa
  I don't have a head for heights 1 j'ai facilement le vertige [jay fahseel-m*ōn* ler vair-teej] **2** ich bin nicht schwindelfrei [ish bin nisht shvindel-fry] **3** soffro di vertigini [. . . dee ver-*tee*-jee-nee]
  headache 1 le mal de tête [mal der tait] **2** Kopfschmerzen [–shmair-tsen] **3** il mal di testa
  headband 1 le serre-tête [sair-tait] **2** das Stirnband [sht*eer*n-bannt] **3** la striscia fermacapelli [stree-shah . . .]

─────────────────────────

healthy 1 en bonne santé [on bon . . .] **2** gesund [geh-zoont] **3** sano

hear 1 entendre [on-tondr] **2** hören [hurr-en] **3** sentire [sent-ee-ray]

heart 1 le coeur [kerr] **2** das Herz [hairts] **3** il cuore [kwo-ray]

heart attack 1 une crise cardiaque [kreez kard-yak] **2** ein Herzinfarkt **3** un colpo al cuore

heat 1 la chaleur [shah-lerr] **2** die Hitze [hit-suh] **3** il calore [ka-loh-ray]

heater 1 un radiateur [rahd-yah-terr] **2** ein Ofen **3** una stufa

heating 1 le chauffage [shoh-fahj] **2** die Heizung [hites-oong] **3** il riscaldamento

heavy 1 lourd [loor] **2** schwer [shvair] **3** pesante [pay-san-tay]

heel 1 le talon [tah-lon] **2** die Ferse [fair-zuh]; *(on shoe)* der Absatz [app-zats] **3** il calcagno [kal-kan-yoh]; *(on shoe)* il tacco
(of ski) **1** le talon [tah-lon] **2** das hintere Ende [hinter-uh en-duh] **3** la coda
see also **bindings**

heiß hot

helicopter 1 l'hélicoptère [aylee-kop-tair] **2** der Hubschrauber [hoop-shrowber] **3** l'elicottero

hello 1 bonjour [bon-joor] **2** hallo **3** buon giorno [bwon jor-noh]

helmet 1 un casque [kahsk] **2** ein Schutzhelm [shoots–] **3** un casco

help 1 aider [ay-day] **2** helfen **3** aiutare [ah-yoo-tah-ray]
I'll go and get help 1 je vais chercher de l'aide [jer vay shair-shay der laid] **2** ich gehe Hilfe holen [ish gay-uh hil-fuh . . .] **3** vado a cercare aiuto [vah-doh ah chayr-kah-ray . . .]

her 1 elle [el] **2** sie [zee] **3** lei [lay]
I know her 1 je la connais [. . . lah . . .] **2** ich kenne sie **3** la conosco
give her . . . 1 donnez-lui . . . [. . . lwee] **2** geben Sie ihr . . . [. . . eer] **3** le dia . . . [lay dee-ah]
see also **my**

here 1 ici [ee-see] **2** hier [heer] **3** qui [kwee]

herring bone 1 la montée en ciseaux [mon-tay on see-zoh] **2** der Grätenschritt [gray-ten-shritt] **3** la

salita a spina di pesce [sah-*lee*-tah ah sp*ee*-nah dee
p*ay*-shay]

high 1 haut [oh] **2** hoch [hoh*k*] **3** alto
  higher up 1 plus haut [ploo . . .] **2** höher [hurr-uh]
  3 più in alto [pew . . .]

hill 1 une colline [koh-leen] **2** ein Berg [bairk] **3** una
  collina [kol-*lee*-nah]

him 1 lui [lwee] **2** ihn [een] **3** lui [*loo*-ee]
  I know him 1 je le connais [. . . ler . . .] **2** ich kenne
  ihn **3** lo conosco
  give him . . . 1 donnez-lui . . . **2** geben Sie ihm . . .
  [. . . eem] **3** gli dia . . . [lee d*ee*-ah]

hire *see* **rent**

his *see* **my**

hold 1 tenir [ter-neer] **2** halten **3** tenere [tay-n*ay*-ray]

hole 1 un trou [troo] **2** ein Loch [lo*k*] **3** un buco
  [*boo*-koh]

holiday 1 les vacances [vah-k*ōn*s] **2** der Urlaub
  [oor-lowp]; *(student's)* die Ferien [*fay*-ree-en] **3** una
  vacanza [va-k*an*-tzah]
  on holiday 1 en vacances **2** im Urlaub/in Ferien
  3 in vacanza

home: at home 1 chez moi [shay mwah] **2** zu Hause
  [tsoo-h*ōw*-zuh] **3** a casa
  I want to go home 1 je veux rentrer chez moi [jer ver
  r*ōn*-tray . . .] **2** ich möchte nach Hause [ish
  m*u*rrshtuh nah*k* h*ōw*-zuh] **3** voglio andare a casa
  [vol-yoh an-d*ah*-ray . . .]

hommes **men**

honest 1 honnête [oh-net] **2** ehrlich [air-lish] **3** onesto

honey 1 du miel [mee-yel] **2** der Honig [hoh-ni*k*] **3** il
  miele [mee-*ay*-lay]

honeymoon 1 la lune de miel [loon der mee-yel] **2** die
  Hochzeitsreise [h*ok*-tsites-ry-zuh] **3** la luna di miele
  [. . . mee-*ay*-lay]

hood 1 le capuchon [kahp*oo*-sh*ōn*] **2** die Kapuze
  [kap*oo*ts-uh] **3** il cappuccio [kap-p*oo*-choh]

hope: I hope that . . . 1 j'espère que . . . [jes-pair
  ker] **2** ich hoffe, daß . . . [ish hoff-uh dass] **3** spero
  che . . . [sp*ay*-roh kay]

horse 1 un cheval [sher-val] **2** ein Pferd [pfairt] **3** un
  cavallo

KEY 1 FRENCH **2** GERMAN **3** ITALIAN

hospital *1* l'hôpital [ohpee-tal] *2* das Krankenhaus [–hōws] *3* l'ospedale [os-pay-dah-lay]

host *1* l'hôte [oht] *2* der Gastgeber [–gay-ber] *3* l'ospite [os-pee-tay]

  hostess *1* l'hôtesse [oh-tess] *2* die Gastgeberin; *(air)* die Hosteß *3* l'ospite; *(air)* la hostess

hot *1* chaud [shoh] *2* heiß [hice] *3* caldo *(spiced)* *1* fort [fohr] *2* scharf *3* piccante [peek-kan-tay]

hotdogging = freestyle

hotel *1* un hôtel [oh-tel] *2* ein Hotel *3* un albergo

hot-water bottle *1* une bouillotte [boo-yot] *2* eine Wärmflasche [–flash-uh] *3* una borsa dell'acqua calda

hour *1* une heure [err] *2* eine Stunde [shtoon-duh] *3* un'ora

house *1* une maison [may-zōn] *2* ein Haus [hōws] *3* una casa [kah-sah]

housewife *1* une ménagère [maynah-jair] *2* eine Hausfrau [–frōw] *3* una casalinga

how *1* comment [koh-mōn] *2* wie [vee] *3* come [koh-may]

  how are you? *1* comment allez-vous? [koh-mōnt ah-lay voo] *2* wie geht's? [vee gayts] *3* come sta? [koh-may stah]

  how many/much (. . .)? *1* combien (de . . .)? [kōnb-yān . . .] *2* wieviele/wieviel (. . .)? [vee-feel-uh . . .] *3* quanti/quanto (. . .)? [kwan-tee . . .]

  how much is it? *1* combien ça coûte? [kōnb-yān sah koot] *2* wieviel kostet es? *3* quanto è?

  how long? *1* combien de temps? [kōnb-yān der tōn] *2* wie lange? [vee lang-uh] *3* quanto?

  how high/long/wide/deep is . . .? *1* quelle est la hauteur/longueur/largeur/profondeur de . . .? [kel ay lah oh-ter, lōn-gher, lahr-jer, prohfōn-der der] *2* wie hoch/lang/breit/tief ist . . .? *3* quanto è alto/lungo/largo/profondo . . .?

hungry: I'm/I'm not hungry *1* j'ai/je n'ai pas faim [jay . . . fān] *2* ich habe Hunger/keinen Hunger [ish hah-buh hoong-er/kine-en . . .] *3* ho fame/non ho fame [o fah-may . . .]

hurry: I'm in a hurry *1* je suis pressé [jer swee pray-say] *2* ich habe es eilig [ish hah-buh ess eye-lik] *3* ho fretta [o frayt-tah]

hurry! *1* dépêchez-vous! [daypay-shay voo] *2* beeilen Sie sich! [buh-eye-len zee zish] *3* faccia presto! [fah-chah pres-toh]

hurt: I hurt myself *1* je me suis fait mal [jer mer swee fay mal] *2* ich habe mir weh getan [. . . vay gheh-tahn] *3* mi sono fatto male [. . . mah-lay]
  it hurts here *1* ça fait mal ici [sah fay mal ee-see] *2* es tut hier weh [ess toot . . . vay] *3* fa male qui [fah mah-lay . . .]
  my leg/arm hurts *1* j'ai mal à la jambe/au bras [jay mal ah . . .] *2* mein Bein/mein Arm tut mir weh [mine bine . . . toot meer vay] *3* mi fa mal la gamba/il braccio [mee . . .]

husband: my husband *1* mon mari [mōn mah-ree] *2* mein Mann [mine . . .] *3* mio marito [mee-oh ma-ree-toh]

hut *(mountain –)* *1* une cabane [ka-ban] *2* eine Hütte [hōōt-tuh] *3* un rifugio [ree-foo-joh]

I *1* je [jer] *2* ich [ish] *3* io [ee-oh]

ice *1* la glace [glahs] *2* das Eis [ice] *3* il ghiaccio [ghee-ah-choh]
  black ice *1* le verglas [vair-glah] *2* das Glatteis [–ice] *3* la lastra di ghiaccio
  ice axe *1* le piolet [pee-oh-lay] *2* der Eispickel [ice–] *3* la piccozza da ghiaccio [pee-kot-tzah . . .]
  ice-cream *1* une glace [glahs] *2* ein Eis *3* un gelato [jay-lah-toh]
  ice hockey *1* le hockey sur glace [oh-kay . . .] *2* das Eishockey *3* il hockey su ghiaccio [o-kay . . .]
  ice-rink *1* une patinoire [pahtee-nwahr] *2* eine Eisbahn [ice–] *3* una pista di pattinaggio [. . . dee pat-tee-nah-joh]

icicle *1* un glaçon [glah-sōn] *2* ein Eiszapfen [ice-tsap-fen] *3* un ghiacciolo [ghee-a-cho-loh]

icy: there are icy patches on the run *1* il y a des plaques de glace sur la piste [eel-yah day plak der glahs soor lah peest] *2* die Abfahrt ist streckenweise vereist [dee app-fahrt isst shtrecken-vy-zuh fair-iced] *3* ci sono placche di ghiaccio sulla pista [chee . . . plak-kay . . .]

if *1* si [see] *2* wenn [ven] *3* se [say]

ill *1* malade [mah-lad] *2* krank *3* malato

KEY *1* FRENCH *2* GERMAN *3* ITALIAN

Imbiß(stube) snack bar
important 1 important [ānpohr-tŏn] **2** wichtig [vik-tik] **3** importante [–tay]
impossible 1 impossible [ānpoh-seebl] **2** unmöglich [ŏon-murr-glish] **3** impossibile [eem-pos-see-bee-lay]
in 1 dans [dŏn] **2** in **3** in [een]
   in France 1 en France [ŏn ...] **2** in Frankreich **3** in Francia; **in London 1** à Londres [ah ...] **2** in London **3** a Londra; **in 1983 1** en 1983 [ŏn ...] **2** im Jahr 1983 **3** nel 1983
inch = 2.54 cm
included 1 compris [kŏn-pree] **2** inklusive [in-kloo-zee-vuh] **3** compreso [kom-pray-soh]
incredible 1 incroyable [ānkrwah-yahbl] **2** unglaublich [ŏon-glowp-lish] **3** incredibile [–dee-bee-lay]
indigestion 1 l'indigestion [āndee-jest-yŏn] **2** die Magenstimmung [mah-ghen-fair-shtim-ŏong] **3** l'indigestione [–oh-nay]
infection 1 une infection [ānfeks-yŏn] **2** eine Infektion [in-fekts-ee-ohn] **3** un'infezione [een-fay-tzee-oh-nay]
infectious 1 contagieux [kŏntahj-yer] **2** ansteckend [an-shteck-ent] **3** contagioso [kon-ta-joh-soh]
information office 1 le bureau des renseignements [boo-roh day rŏnsayn-yer-mŏn] **2** das Informationsbüro [–bōo-roh] **3** l'ufficio di informazioni [oof-fee-choh dee ...]
injection 1 une piqûre [pee-koor] **2** eine Spritze [shprits-uh] **3** un'iniezione [een-yay-tzee-oh-nay]
injured: he's been injured 1 il est blessé [eel ay blay-say] **2** er ist verletzt [... fair-letst] **3** è stato ferito [eh stah-toh fay-ree-toh]
inside 1 à l'intérieur (de ...) [ah lāntair-yer (der)] **2** innen (in ...) **3** dentro
instant coffee 1 du café soluble [kah-fay soh-loobl] **2** der Pulverkaffee [pŏol-ver-kaff-ay] **3** il caffè istantaneo [kaf-feh ees-tan-tah-nay-oh]
instead of 1 au lieu de [oh lee-yer der] **2** anstelle von [an-shtel-uh fon] **3** invece di [een-vay-chay dee]
instructor *(ski)* **1** le moniteur (de ski) [mohnee-terr (der skee)] **2** der Skilehrer [shee-lair-ruh] **3** l'istruttore (da sci) [... dah shee]
insurance 1 une assurance [ahsoo-rŏns] **2** eine Versicherung [fair-zish-erŏong] **3** un'assicurazione

[as-see-koo-rah-tzee-*oh*-nay]
I'm insured 1 je suis assuré [jer sweez ahsoo-ray]
2 ich bin versichert [fair-*z*i-shert] **3** sono assicurato
[as-see-koo-*rah*-toh]
interdit forbidden
interesting 1 intéressant [āntay-ray-sō̄n]
2 interessant [–*a*nt] **3** interessante [–*t*ay]
international 1 international [āntair-nahs-yoh-nal]
2 international [inter-nats-ee-oh-n*a*hl]
3 internazionale [een-tayr-na-tzee-oh-n*a*h-lay]
into 1 dans [dō̄n] **2** in **3** in [een]
introduce: can I introduce . . .? 1 puis-je vous
présenter . . .? [pweej voo prayzō̄n-tay] **2** darf
ich . . . vorstellen? [. . . for-shtellen] **3** posso
presentare . . .? [. . . pray-sayn-*tah*-ray]
invitation 1 une invitation [ānvee-tahs-yō̄n] **2** eine
Einladung [*ine*-lah-dōong] **3** un invito [een-*vee*-toh]
invite 1 inviter [ānvee-tay] **2** einladen [*ine*-lah-den]
3 invitare [een-vee-*tah*-ray]
Ireland 1 l'Irlande [eer-lō̄nd] **2** Irland [*eer*-lannt]
3 l'Irlanda
Irish 1 irlandais [eerlō̄n-day]; **2** irisch [*eer*-ish];
(man) Ire [*eeruh*]; *(woman)* Irin [*eerin*] **3** irlandese
[eer-lan-d*a*y-say]
iron *(clothes)* **1** repasser [rerpah-say] **2** bügeln
[*bōō*-geln] **3** stirare [stee-*rah*-ray]
(noun) **1** un fer à repasser [fair ah . . .] **2** ein
Bügeleisen [–*eye*-zen] **3** un ferro da stiro [. . . st*ee*-roh]
it: take it 1 prenez-le (la) [. . . ler (lah)] **2** nehmen Sie
ihn (es, sie) **3** lo (la) prenda
it is here 1 il(elle) est ici **2** es (er, sie) ist hier **3** è qui
is it . . .? 1 est-ce que c'est . . .? [esker say] **2** ist
es . . .? **3** è . . .? [eh]
it's him 1 c'est lui [say . . .] **2** er ist es **3** è lui
Italy 1 l'Italie [eetah-lee] **2** Italien [i-t*a*hl-ee-un]
3 l'Italia [ee-t*a*l-yah]
Italian 1 italien [eetahl-yān] **2** italienisch; *(man)*
Italiener; *(woman)* Italienerin **3** italiano
IVA VAT
jacket 1 une veste [vest] **2** eine Jacke [yack-uh] **3** una
giacca [j*a*k-kah]
jam 1 de la confiture [kō̄nfee-toor] **2** die Marmelade

....

[mar-meh-*lah*-duh] **3** la marmellata

January 1 janvier [jōnv-yay] **2** Januar [yan-oo-ar] **3** gennaio [jen-*nah*-yoh]

jealous 1 jaloux [jah-loo] **2** eifersüchtig [*eye*-fair-zōk-tik] **3** geloso [jay-loh-soh]

jeans 1 des jeans **2** die Jeans **3** i jeans

jersey 1 un pull [pool] **2** ein Pullover **3** una maglia [mal-yah]

jet *see* **turn**

job 1 un travail [trah-vie] **2** eine Arbeit [ar-bite] **3** un lavoro

joke 1 une plaisanterie [playzōn-tree] **2** ein Witz [vits] **3** uno scherzo [skayr-tzoh]

July 1 juillet [joo-yay] **2** Juli [yoo-lee] **3** luglio [*lool*-yoh]

jumper 1 un pull [pool] **2** ein Pullover **3** un maglione [mal-*yoh*-nay]

June 1 juin [jwān] **2** Juni [yoo-nee] **3** giugno [joon-yoh]

kalt cold

Kasse cash desk

keep 1 garder [gahr-day] **2** behalten [buh-halten] **3** tenere [tay-*nay*-ray]

kettle 1 une bouilloire [boo-ee-wahr] **2** ein Kessel **3** un bollitore [bol-lee-*toh*-ray]

» *TRAVEL TIP: don't necessarily expect to find an electric kettle in a rented flat etc; you may have to boil water in a saucepan*

key 1 la clé [klay] **2** der Schlüssel [shlōōs-el] **3** la chiave [kee-*ah*-vay]

kick *see* **turn**

kilo 1 un kilo [kee-loh] **2** ein Kilo **3** un chilo [kee-loh]

» *TRAVEL TIP: conversion: kilos ÷ 5 × 11 = pounds*

kilos	1	1.5	2	3	5	10	20
lbs	2.2	3.3	4.4	6.6	11	22	44

kilometre 1 un kilomètre [keeloh-maitr] **2** ein Kilometer [–may-ter] **3** un chilometro [kee-*loh*-may-troh]

» *TRAVEL TIP: conversion: km ÷ 8 × 5 = miles*

kilometres	1	5	10	20	50	100
miles	0.62	3.11	6.2	12.4	31	62

kind 1 aimable [ay-mahbl] **2** freundlich [froynt-lish] **3** gentile [jen-*tee*-lay]

kiss: give me a kiss 1 embrasse-moi [ōn-brahs

mwah] **2** gib mir einen Kuß [gheep meer ine-en kooss] **3** dammi un bacio [. . . bah-choh]

kitchen *1* la cuisine [kwee-zeen] **2** die Küche [kōō-shuh] **3** la cucina [koo-chee-nah]

knee *1* le genou [jer-noo] **2** das Knie [kuh-nee] **3** il ginocchio [jee-nok-yoh]

knife *1* un couteau [koo-toh] **2** ein Messer **3** un coltello [kol-tel-loh]

knot *1* un noeud [ner] **2** ein Knoten [knoh-ten] **3** un nodo

know *1* savoir [sah-vwahr] **2** wissen [vissen] **3** sapere [sa-pay-ray]; *(to be acquainted with)* *1* connaître [koh-naitr] **2** kennen **3** conoscere [ko-noh-shay-ray]
I don't know *1* je ne sais pas [jer ner say pah] **2** ich weiß nicht [ish vice nisht] **3** non so [. . . soh]
I don't know the area *1* je ne connais pas la région **2** ich kenne die Gegend nicht **3** non conosco queste parti [. . . kwes-tay par-tee]
do you know where/how? *1* est-ce que vous savez où/comment? [esker voo sah-vay oo/koh-mōn] **2** wissen Sie, wo/wie? **3** sa dove/come? [sah doh-vay/koh-may]

label *1* une étiquette [aytee-ket] **2** ein Etikett **3** un'etichetta [ay-tee-kayt-tah]

laces *1* des lacets [lah-say] **2** Schnürsenkel [shnōōr-zenkel] **3** i lacci [lah-chee]

lacquer *1* de la lacque [lak] **2** der Lack **3** la lacca

ladies' *1* les toilettes (des dames) [twah-let (day dam)] **2** die Damentoilette [dah-men-twa-lettuh] **3** la toilette [twa-let]

lady *1* une dame [dam] **2** eine Dame [dah-muh] **3** una signora [seen-yo-rah]

lager *1* une bière (blonde) [bee-yair] **2** ein helles Bier [. . . beer] **3** una birra [beer-rah]

lake *1* un lac **2** ein See [zay] **3** un lago [lah-goh]

lamp *1* une lampe [lōnp] **2** eine Lampe [lamp-uh] **3** una lampada [lam-pa-dah]

langlauf *1* le ski de fond [skee der fōn] **2** der Langlauf **3** il sci di fondo [shee dee fon-doh]

language *1* une langue [lōng] **2** eine Sprache [shprah-kuh] **3** una lingua [leen-gwah]

larch *1* un mélèze [may-layz] **2** eine Lärche

[la*i*r-shuh] **3** un larice [lah-ree-chay]

last 1 dernier [dairn-yay] **2** letzter [lets-ter] **3** ultimo [ool-tee-moh]
last year/week 1 l'année/la semaine dernière **2** letztes Jahr/letzte Woche **3** l'anno scorso/la settimana scorsa
last night (yesterday evening) **1** hier soir [yair swahr] **2** gestern abend [ghestern ah-bent] **3** ieri sera [yay-ree say-rah]
late 1 tard [tahr] **2** spät [shpayt] **3** tardi [tar-dee]
I'm late 1 je suis en retard [jer swee ōn rer-tahr] **2** ich bin spät dran [ish bin shpayt dran] **3** sono in ritardo
later 1 plus tard [ploo tahr] **2** später [shpayter] **3** più tardi [pew . . .]
at the latest 1 au plus tard **2** spätestens [shpayt-es-tenz] **3** al più tardi
laugh 1 rire [reer] **2** lachen [lah-*k*en] **3** ridere [*ree*-day-ray]
launderette 1 une laverie automatique [lahv-ree ohtoh-mah-teek] **2** eine Münzwäscherei [mōonts-vesh-er-eye] **3** una lavanderia automatica [la-van-day-*ree*-ah ow-toh-m*ah*-tee-kah]
lavabos toilets
lavatory 1 les toilettes [twah-let] **2** die Toilette [twa-lettuh] **3** il gabinetto
Lawinengefahr danger of avalanches
lawyer 1 un avocat [ahvoh-kah] **2** ein Rechtsanwalt [reshts-anvalt] **3** un avvocato
laxative 1 un laxatif [laxah-teef] **2** ein Abführmittel [app-fōor-mittel] **3** un lassativo
lazy 1 paresseux [pahray-ser] **2** faul [fōwl] **3** pigro [*pee*-groh]
leader 1 le chef [shef] **2** der Führer [f*ōo*ruh] **3** il c*a*po
leaflet 1 un prospectus [prospek-toos] **2** ein Prospekt [prospekt] **3** un depliant [dayplee-*ōn*]
leak 1 une fuite [fweet] **2** eine undichte Stelle [ōon-dish-tuh shtel-uh] **3** una fuga
learn 1 apprendre [ah-pr*ō*ndr] **2** lernen [lair-nen] **3** imparare [eem-pa-*rah*-ray]
least: at least 1 au moins [oh mw*ā*n] **2** mindestens [minn-dess-tenz] **3** almeno [al-m*ay*-noh]
leather 1 du cuir [kweer] **2** das Leder [lay-der] **3** la pelle [pel-lay]; (for soles) il cuoio [kwo-yoh]
leave: we're leaving tomorrow 1 nous partons

demain [. . . pahr-tōn . . .] 2 wir fahren morgen ab
[veer fah-ren . . . app] 3 partiamo domani

I left . . . in my room 1 j'ai laissé . . . dans ma
chambre [jay lay-say . . .] 2 ich habe . . . in meinem
Zimmer liegenlassen [ish hah-buh . . . lee-ghen-
lassen] 3 ho lasciato . . . in camera mia [o la-shah-
toh . . . een kah-may-rah mee-ah]

can I leave this here? 1 est-ce que je peux laisser ça
ici? [esker jer per lay-say sah ee-see] 2 kann ich das
hierlassen? [. . . heerlassen] 3 posso lasciarlo qua?
[. . . la-shar-lo . . .]

left: on the left 1 à gauche [ah gohsh] 2 links 3 a
sinistra [. . . see-nees-trah]

left-luggage (office) 1 la consigne [kōn-seen] 2 die
Gepäckaufbewahrung [gheh-peck-ōwf-buh-vah-rōong]
3 il deposito bagagli [day-po-see-toh ba-gal-yee]

leg 1 la jambe [jōnb] 2 das Bein [bine] 3 la gamba

leggings 1 les guêtres [getr] 2 die Gamaschen
[gam-ash-en] 3 i gambali

lemon 1 un citron [see-trōn] 2 eine Zitrone
[tsi-troh-nuh] 3 un limone [lee-moh-nay]

lemonade 1 une limonade [leemoh-nad] 2 eine
Limonade [lee-moh-na-duh] 3 una limonata
[lee-mo-nah-tah]

lend 1 prêter [pray-tay] 2 leihen [lye-en] 3 prestare
[pres-tah-ray]

Lent 1 le Carême [kah-raim] 2 die Fastenzeit
[fass-ten-tsite] 3 la Quaresima [kwa-ray-see-mah]

less: less expensive/far/money (than) 1 moins
cher/loin/d'argent (que) [mwān . . . (ker)] 2 weniger
teuer/weit/Geld (als) 3 meno caro/lontano/denaro (di)
[may-noh . . .]

lesson: skiing lessons 1 des leçons de ski
[ler-sōn . . .] 2 Skistunden [shee-shtoon-den]
3 lezioni da sci [lay-tzee-oh-nee dah shee]

let *(flat etc)* 1 louer [loo-ay] 2 vermieten 3 affitare
[−tah-ray]

let me help 1 laissez-moi vous aider [lay-say-mwah
vooz ay-day] 2 darf ich Ihnen helfen? [. . . ee-nen
. . .] 3 aspetti che l'aiuto [. . . kay la-yoo-toh]

let's go! 1 allons-y! [ah-lōnz-ee] 2 gehen wir! [gay-en
veer] 3 andiamo!

KEY *1* FRENCH *2* GERMAN *3* ITALIAN

letter 1 une lettre **2** ein Brief [breef] **3** una lettera
[l*e*t-tay-rah]

libre vacant; free

licence 1 un permis [pair-mee] **2** eine Genehmigung
[gheh-n*ay*-mee-g*oo*ng] **3** un permesso

life 1 la vie [vee] **2** das Leben [l*ay*-ben] **3** la vita
[*vee*-tah]

lift 1 l'ascenseur [ahs*on*-serr] **2** der Fahrstuhl
[fahr-shtool] **3** l'ascensore [a-shayn-s*oh*-ray]
see also **ski lift**

could you give me a lift (to . . .)? 1 est-ce que vous
pouvez m'emmener (jusqu'à . . .)? [. . . joos-kah]
2 könnten Sie mich mitnehmen (zu . . .)?
[kurrnten . . .] **3** mi può dare un passaggio (a . . .)?
[mee pwoh d*ah*-ray oon pas-s*ah*-joh . . .]

ligament 1 le ligament [leegah-m*on*] **2** das Band
[bannt] **3** il legamento

light *(not heavy)* **1** léger [lay-jay] **2** leicht [lysht]
3 leggero [lay-j*ay*-roh]
(not dark) **1** clair [klair] **2** hell **3** chiaro [kee-*ah*-roh]

lights *(of car)* **1** les phares [fahr] **2** die Scheinwerfer
[shine-vairfuh] **3** i fari [f*ah*-ree]

the lights aren't working *(house)* **1** la lumière ne
marche pas [lah loom-yair ner marsh pah] **2** das Licht
geht nicht [. . . gayt nisht] **3** la luce non funziona
[la *loo*-chay non foon-tzee-*oh*-nah]

have you got a light? 1 est-ce que vous avez du feu?
[esker vooz ah-vay doo fer] **2** haben Sie Feuer?
[h*a*h-ben zee foy-er] **3** ha da accendere? [ah dah
a-ch*e*n-day-ray]

lighter 1 un briquet [bree-kay] **2** ein Feuerzeug
[foy-uh-tsoyg] **3** un accendino [a-chen-d*ee*-noh]

like *(the same as)* **1** comme [kom] **2** wie [vee] **3** come
[k*oh*-may]

would you like . . .? 1 est-ce que vous voulez . . .?
[esker voo voo-lay] **2** möchten Sie . . .? [murrshten
zee] **3** vuole . . .? [vw*oh*-lay]

I'd like to/a. . . 1 j'aimerais . . . [jaym-ray . . .] **2** ich
möchte . . . [ish murrshtuh] **3** vorrei . . . [vor-r*ay*]

I like skiing 1 j'aime le ski [jem . . .] **2** ich fahre gern
Ski **3** mi piace sciare [mee pee-*ah*-chay . . .]

I like it 1 ça me plaît [sah mer play] **2** das gefällt mir
[dass gheh-felt meer] **3** mi piace

I like you 1 tu me plais [too mer play] **2** ich mag dich gern [ish mahg dish gairn] **3** mi sei simpatico [mee say seem-*pah*-tee-koh]

like this 1 comme ça [kom sah] **2** so [zoh] **3** così [ko-*see*]

line 1 la ligne [leen] **2** die Linie [*lee*-nee-uh] **3** la linea [*lee*-nay-ah]

lip 1 la lèvre [laivr] **2** die Lippe [lipp-uh] **3** il labbro

lipstick 1 du rouge à lèvres [rooj ah laivr] **2** der Lippenstift [—shtift] **3** il rossetto

lipsalve 1 une pommade [poh-mad] pour les lèvres **2** eine Lippenpomade **3** una pomata per labbra

liqueur 1 un liqueur [lee-kerr] **2** ein Likör [lik-urr] **3** un liquore [lee-kwoh-ray]

listen 1 écouter [aykoo-tay] **2** zuhören [tsoo-hurr-ren] **3** ascoltare [—tah-ray]

litre 1 un litre [leetr] **2** ein Liter [*lee*-ter] **3** un litro

» *TRAVEL TIP: 1 litre = 1¾ pints = 0.22 gals*

pints	0.44	0.87	1.75	3.50	5.25
litres	0.25	0.5	1	2	3

little *(small)* **1** petit [per-tee] **2** klein [kline] **3** piccolo

a little ice 1 un peu de glace [ān per . . .] **2** ein wenig Eis [ine vay-nik ice] **3** un po' di ghiaccio [. . . dee ghee-*ah*-choh]

a little more 1 un peu plus [. . . ploo] **2** noch etwas mehr [nok . . .] **3** un po' di più [. . . dee pew]

live: I live in London/England 1 j'habite à Londres/en Angleterre [jah-beet ah lōndr/ōnn ōngler-tair] **2** ich wohne in London/England [ish voh-nuh . . .] **3** abito a Londra/in Inghilterra [*ah*-bee-toh . . . een-gheel-*ter*-rah]

liver 1 le foie [fwah] **2** die Leber [*lay*-ber] **3** il fegato [*fay*-ga-toh]

loaf 1 un pain [pān] **2** ein Brot [broht] **3** una pagnotta [pan-*yot*-tah]

local: a local wine 1 un vin de la région [. . . der lah rayj-*yōn*] **2** ein Wein aus der Gegend [ine vine ōwss dair *gay*-ghent] **3** un vino locale [oon *vee*-noh lo-*kah*-lay]

lock 1 la serrure [say-roor] **2** das Schloß [shloss] **3** la serratura

it's locked 1 c'est fermé à clé [. . . fair-may ah klay] **2** es ist zugeschlossen **3** è chiuso a chiave [eh

kee-*oo*-soh ah kee-*ah*-vay]
I've locked myself out 1 je me suis enfermé dehors
[jer mer swee ōnfair-may der-ohr] **2** ich habe mich
ausgesperrt [ish hah-buh mish ōwss-gheh-shpert]
3 mi sono chiuso fuori [mee s*oh*-noh kee-*oo*-soh
fw*oh*-ree]

London 1 Londres [lōndr] **2** London **3** Londra

long 1 long [lōn] **2** lang **3** lungo [l*oo*n-goh]
will it take long? 1 est-ce que ça va prendre
longtemps? [. . . sah vah prōndr lōn-tōn] **2** wird es
lange dauern? **3** ci vorrà molto? [chee vor-r*ah* . . .]

long johns 1 des caleçons longs [kal-sōn lōn] **2** die
lange Unterhose [lang-uh *oo*nter-hoh-zuh] **3** le
mutande lunghe [moo-t*a*n-day l*oo*n-gay]

look: you look tired 1 vous avez l'air fatigué [vooz
ah-vay lair . . .] **2** Sie sehen müde aus [zee zay-en
m*oo*-duh ōwss] **3** mi sembra stanco [mee . . .]
look at that 1 regardez ça [rergahr-day sah]
2 schauen Sie sich das an [sh*ow*-en zee zish dass an]
3 guarda quello [gw*a*r-dah . . .]
I'm looking for . . . 1 je cherche . . . [jer shairsh]
2 ich suche . . . [ish z*oo*k-uh] **3** cerco . . . [ch*a*yr-koh]
look after 1 surveiller [soorvay-yay] **2** aufpassen
auf [ōwf-pas-en ōwf] **3** sorvegliare [–vayl-*yah*-ray]

lorry 1 un camion [kahm-yōn] **2** ein Last(kraft)wagen
[lasst(krafft)vah-ghen] **3** un autocarro [ow-toh-
k*a*r-roh]

lose 1 perdre [pairdr] **2** verlieren [fair-*lee*-ren]
3 perdere [p*a*yr-day-ray]
I've lost my . . . 1 j'ai perdu mon (ma) . . . [jay pair-
doo . . .] **2** ich habe mein . . . verloren [ish hah-buh
mine . . . fair-lor-ren] **3** ho perso il mio . . . [o p*a*yr-soh
eel m*ee*-oh]
I'm lost 1 je me suis perdu [jer mer swee
pair-doo] **2** ich habe mich verlaufen [ish hah-buh
mish fair-lōwf-en] **3** mi sono perso [mee . . .]
lost property office 1 le bureau des objets trouvés
[boo-roh dayz ob-jay troo-vay] **2** das Fundbüro
[f*oo*nt-b*oo*-roh] **3** l'ufficio degli oggetti smarriti
[oof-*fee*-choh d*a*yl-yee o-jet-tee smar-*ree*-tee]

lot: a lot (of) 1 beaucoup (de) [boh-koo (der)] **2** viel
[feel] **3** molto

loud 1 fort [fohr] **2** laut [lōwt] **3** forte [for-tay]
à louer *to let*

MAP 59

lounge *1* le salon [sah-lōn] *2* das Gesellschaftsraum [–rōwm] *3* il salotto [sa-lot-toh]

love: I love you *1* je t'aime [jer taim] *2* ich liebe dich [ish lee-buh dish] *3* ti amo [tee *ah*-moh]

lovely *1* merveilleux [mairvay-yer] *2* schön [shurrn] *3* bello

low *1* bas [bah] *2* niedrig [nee-dri*k*] *3* basso

lucky: you're lucky *1* vous avez de la chance [vooz ah-vay der lah shōns] *2* Sie haben Glück [zee h*a*h-ben glōōck] *3* è fortunato [eh for-too-n*a*h-toh]

luggage *1* les bagages [bah-gahj] *2* des Gepäck [gheh-peck] *3* il bagaglio [ba-g*a*l-yoh]

lunch *1* le déjeuner [day-jer-nay] *2* das Mittagessen [mi-tahg-essen] *3* il pranzo [pr*a*n-tzoh]

» *TRAVEL TIP:* **1** *in Switzerland,* 'déjeuner' *is commonly used for* 'breakfast', *and* 'dîner' [dee-nay] *for lunch*

magazine *1* un magazine [mahgah-zeen] *2* eine Zeitschrift [tsite-shrift] *3* una rivista [ree-v*ee*s-tah]

maiden name *1* le nom de jeune fille [nōn der jern fee] *2* der Mädchenname [maid-shen-nah-muh] *3* il nome da signorina [n*o*h-may dah seen-yo-*ree*-nah]

mail: is there any mail for me? *1* est-ce qu'il y a du courrier pour moi? [eskeel-yah doo koor-yay poor mwah] *2* habe ich Post? [h*a*h-buh ish posst] *3* c'è posta per me? [cheh . . . may]

main *1* principal [prānsee-pal] *2* Haupt- [hōwpt] *3* principale [preen-chee-p*a*h-lay]

make *1* faire [fair] *2* machen [mah-*k*en] *3* fare [–ray]

make-up *1* le maquillage [mahkee-yahj] *2* das Make-up *3* il trucco [tr*oo*k-koh]

man *1* un homme [om] *2* ein Mann *3* un uomo [wo-moh]

manager *1* le directeur [deerek-terr] *2* der Geschäftsführer [gheh-sh*e*fts-fōōr-er] *3* il direttore [dee-ray-t*o*h-ray]

manageress *1* la directrice [deerek-trees] *2* die Geschäftsführerin *3* la direttrice [–*tree*-chay]

many *1* beaucoup (de . . .) [boh-koo (der)] *2* viele [feel-uh] *3* molti [m*o*l-tee]

map *1* une carte [kart] *2* eine Karte [kar-tuh] *3* una carta; *(town map)* *1* un plan [plōn] *2* ein Stadtplan [shtat–] *3* una pianta [pee-*a*n-tah]

....

March 1 mars [mahrs] **2** März [mairts] **3** marzo [mar-tzoh]

margarine 1 de la margarine [mahrgah-reen] **2** die Margarine [mar-ga-reen-uh] **3** la margarina [mar-ga-ree-nah]

marked: is the trail marked? 1 est-ce que la piste est balisée [. . . bahlee-zay] **2** ist die Loipe markiert? [isst dee loy-puh markeert] **3** è segnata la pista? [eh sayn-yah-tah . . .]

is the run marked? 1 est-ce que la piste est balisée? **2** ist die Abfahrt abgesteckt? [isst dee app-fahrt app-gheh-shteckt] **3** è segnato il percorso?

marker (trail –) **1** une marque de balisage [mark der bahlee-zahj] **2** eine Markierung [markee-roong] **3** un segnapista [sayn-ya-pees-tah]

market 1 un marché [mahr-shay] **2** ein Markt **3** un mercato [mayr-kah-toh]

marmalade 1 de la confiture d'oranges [konfee-toor doh-ronj] **2** die Orangenmarmelade [oron-djen-mar-meh-lah-duh] **3** la marmellata d'arance [mar-mel-lah-tah da-ran-chay]

marmot 1 une marmotte [mar-mot] **2** ein Murmeltier [moormel-teer] **3** una marmotta

married 1 marié [mahr-yay] **2** verheiratet [fair-hy-raht-et] **3** sposato

mashed potatoes 1 de la purée de pommes de terre [poo-ray der pom der tair] **2** der Kartoffelbrei [kartoffel-bry] **3** il purè di patate [poo-reh dee pa-tah-tay]

mass (in church) **1** la messe [mess] **2** die Messe [mess-uh] **3** la messa [mays-sah]

massage 1 un massage [mah-sahj] **2** eine Massage [massah-djuh] **3** un massaggio [mas-sah-joh]

match (game) **1** un match **2** ein Spiel [shpeel] **3** una partita [par-tee-tah]

a box of matches 1 une boîte d'allumettes [bwaht dahloo-met] **2** eine Schachtel Streichhölzer [shak-tel shtrysh-hurltser] **3** una scatola di fiammiferi [skah-toh-lah dee fee-am-mee-fay-ree]

matter: it doesn't matter 1 ça ne fait rien [sah ner fay ree-yan] **2** das macht nichts [dass mahkt nix] **3** non importa; **what's the matter? 1** qu'est-ce qui ne va pas? [keskee ner vah pah] **2** was ist los? [vass isst lohs] **3** cosa c'è? [. . . cheh]

mattress 1 le matelas [mat-lah] **2** die Matratze [ma-trats-uh] **3** il materasso

maximum 1 le maximum [maxee-mom] **2** das Maximum [maximoom] **3** il massimo [mas-see-moh]

may: may I have . . .? 1 est-ce que je peux avoir . . .? [esker jer per ah-vwahr] **2** darf ich . . . haben? [. . . ish . . . hah-ben] **3** potrei avere . . .? [po-tray a-vay-ray]

May 1 mai [may] **2** Mai [my] **3** maggio [mah-joh]

maybe 1 peut-être [pert-aitr] **2** vielleicht [fee-lysht] **3** forse [for-say]

me 1 moi [mwah] **2** mich [mish] **3** me [may]
 he knows me 1 il me [mer] connaît **2** er kennt mich **3** mi conosce [mee ko-noh-shay]
 give me . . . 1 donnez-moi . . . **2** geben Sie mir . . . [. . . meer] **3** mi dia . . .

meal 1 un repas [rer-pah] **2** ein Essen **3** un pasto

mean: what does this mean? 1 qu'est-ce que ça veut dire? [kesker sah ver deer] **2** was heißt das? [vass hysst dass] **3** cosa vuol dire? [. . . vwol dee-ray]

measure 1 mesurer [merzoo-ray] **2** messen **3** misurare [mee-soo-rah-ray]

meat 1 de la viande [vee-yond] **2** das Fleisch [flysh] **3** la carne [kar-nay]

meet 1 rencontrer [ronkon-tray] **2** treffen **3** incontrare [een-kon-trah-ray]
 where shall we meet? 1 où est-ce que nous nous retrouvons? [wes ker noo noo rertroo-von] **2** wo treffen wir uns? **3** dove ci ritroviamo? [. . . chee . . .]

melt 1 fondre [fondr] **2** schmelzen [shmeltsen] **3** sciogliersi [shol-yayr-see]

member 1 un membre [monbr] **2** ein Mitglied [mit-gleet] **3** un socio [so-choh]

menu 1 la carte [lah kart] **2** die Speisekarte [shpy-zuh-kar-tuh] **3** il menù [may-noo]
 set menu 1 le plat du jour [noo prer-non ler plah doo joor] **2** das Tagesmenü **3** il menu a prezzo fisso [. . . pret-tzoh . . .]

» *TRAVEL TIP: see the menu readers pp. 62–67*

mess: it's a mess *(room etc)* **1** c'est en désordre [. . . on day-zohrdr] **2** es ist in sehr unordentlichem Zustand **3** è in disordine [eh een dee-sor-dee-nay]

Entrées: Starters
Crudités *various salads and raw vegetables*
Terrine du chef *pâté maison*
Bouchées à la reine *chicken vol-au-vent*

Potages: Soups
Crème de bolets *cream of mushroom*
Velouté de tomates *cream of tomato*
Soupe à l'oignon *onion soup*

Viandes: Meat dishes
Boeuf *beef*, porc *pork*, veau *veal*, agneau *lamb*
Rôti de boeuf *roast beef*
Gigot d'agneau *roast leg of lamb*
Côtelette de porc *pork chop*
Foie de veau *veal liver*
Langue de boeuf *tongue*
Bifteck *steak*
Tournedos *fillet steak*
Escalope panée *slice of veal in breadcrumbs*

Volaille: poultry
Poule au riz *chicken and rice*
Poulet rôti *roast chicken*

Poissons: Fish
Coquilles Saint-Jacques *scallops*
Huîtres *oysters*
Moules marinière *mussels in white wine*
Truite aux amandes *trout with almonds*
Filets de perche/sole *fillets of perch/sole*

A few menu terms: à l'ail *(with) garlic*, aux câpres *in caper sauce*, à la crème *with cream*, échalotes *shallots*, garni *with chips (or rice) and vegetables*, en gelée *in aspic*, moutarde *mustard*, oignons *onions*, provençale *cooked in olive oil with garlic, tomatoes and herbs*, au vin blanc *in white wine*, vinaigrette *sharp vinegar dressing*

Légumes: vegetables
Pommes de terre à l'anglaise ou vapeur *steamed potatoes*, pommes dauphine *potato croquettes*, (pommes) frites *chips*, purée *mashed potatoes*

··········

Chou *cabbage*, chou-fleur *cauliflower*, courgettes *baby marrows*, épinards *spinach*, haricots verts *French beans*, petits pois *peas*

Salades
Salade *green salad with French dressing*, Salade niçoise *with green beans, peppers, anchovies, olives*, Salade russe *mixed vegetable in mayonnaise*

Fromages: le plateau de fromages *cheese board*

Dessert
Glace *ice-cream*, flan *egg custard*
Tarte aux myrtilles *bilberry tart*

Snacks
Assiette anglaise *cold meats*, saucisse, frites *Frankfurter sausage and chips*, choucroute garnie *sauerkraut with Frankfurter sausages, knuckle of ham etc*, crêpes *pancakes*, croque-monsieur *toasted ham and cheese sandwich*, omelette au jambon/fromage *ham/cheese omelette*, sandwich aux rillettes *potted meat sandwich*, viande séchée (*or des Grisons*) *wafer thin slices of cured beef, usu. served with rye bread and pickles*

Spécialités
Fondue au fromage *cheese fondue: crusty pieces of bread dipped into melted cheese*
Raclette (*Switzerland*) *melted cheese served with boiled potatoes, pickled gherkins and silverskin onions*
»*TRAVEL TIP: both 'fondue' and 'raclette' are ideal party dishes*

Wines: *apart from the well-known 'beaujolais' or more expensive 'bourgogne' and 'bordeaux', try 'Côtes du Rhône' (red or white) and Anjou wines (rosé or white); in Switzerland try 'fendant' (dry white) or 'dôle' (red) and note that you don't order 'un quart' (25 cl) as in France, but 2 or 3 'décis' [day-see] (20 cl or 30 cl)*
sec *dry*, demi-sec *medium dry*

Enjoy your meal! – or, as they say, **bon appétit!**

Vorspeisen: Hors d'oeuvre
Königspastete *chicken vol-au-vent*

Suppen: Soups
Blumenkohlsuppe *cream of cauliflower*
Flädlesuppe *consommé with pancake strips*
Hühnersuppe *chicken broth*
Knödelsuppe *clear soup with dumplings*
Kraftbrühe mit Ei *consommé with a raw egg*
Ochsenschwanzsuppe *oxtail soup*
Tagessuppe *soup of the day*

Vom Rind: Beef
Rinderbraten *pot roast*
Rinderfillet *fillet steak*
Rindsrouladen *beef olives*
Rostbraten *steak with onions*

Vom Schwein: Pork
Fleischkäse *meatloaf*
Kotelett *chops*
Leberkäse *baked pork and beef loaf*
Schweinebraten *roast pork*
Schweineschnitzel *pork fillets*

Vom Kalb: Veal
Gefüllte Kalbsbrust *veal roll*
Kalbshaxe *leg of veal*
Jägerschnitzel *veal with mushrooms*
Wienerschnitzel *veal in breadcrumbs*
Zigeunerschnitzel *veal with peppers and relishes*

Wild Game
Rehrücken, Hirschbraten *roast venison*

Fischgerichte: Fish
Forelle Müllerin *trout with butter and lemon*
Hecht *pike*, Karpfen blau *boiled blue carp*

Grills, Sausages
Bockwurst *large Frankfurter sausage*
Bratwurst *grilled pork sausage*
Riesenbratwurst *(Switz.) veal sausage*
Halbes Hähnchen *half a (roast) chicken*

Spezialitäten: Specialities

Weißwürste mit Senf *(Munich) white sausages and sweet mustard*

Fondue *cheese fondue: crusty pieces of bread dipped into melted cheese*

Bündner Trockenfleisch *wafer thin slices of beef, usu. served with rye bread and pickles*

Wienerli mit Kartoffelsalat *Frankfurters and potato salad*

Beilagen: Side dishes

Blumenkohl *cauliflower;* **Bratkartoffeln** *roast potatoes;* **Erbsen** *peas;* **gemischter Salat** *mixed salad;* **Gemüseplatte** *mixed veg;* **Kartoffelpüree** *mashed potatoes;* **Klöße, Knödel** *dumplings;* **Pommes Frites** *French fried potatoes;* **Rösti** *(Switzerland) potato slices fried with chopped onion and bacon;* **Rosenkohl** *Brussel sprouts;* **Salzkartoffel** *boiled potatoes;* **Sauerkraut** *finely chopped pickled cabbage;* **Spargel** *asparagus;* **Spätzle** *homemade noodles*

Nachspeisen: Desserts

Gemischtes Eis mit Schlag *assorted ice creams with whipped cream*

Eisbecher *knickerbocker glory*

Obstsalat *fruit salad*

Schwarzwälder Kirschtorte *Black Forest gateau*

Wines: *mainly white wines (Weißwein [vice-vine]); fewer reds (Rotwein [roht-vine]); three quality grades* **Tafelwein** *is a table wine without a named vineyard;* **Qualitätswein** *is quality wine from a designated region;* **Qualitätswein mit Prädikat** *is special quality wine; there are countless varieties; some of the main grapes are:* **Riesling** *medium dry;* **Sylvaner** *dry;* **Müller-Thurgau** *light, fruity;* **Traminer** *full-bodied, strong*
in Switzerland try 'Fendant' or 'la Côte' (dry white), 'Dôle' (red); you order 2 or 3 'dezi' [tay-tsee] (20 cl or 30 cl) or a 'halbeli' [halp-uh-lee] (50 cl)

Drinks: *try 'Glühwein' (mulled wine) or 'Jägertee' (tea laced with rum)*

Antipasti: Starters
affettati misti *assorted cold meats*
prosciutto e melone *ham and melon*
bresaola della Valtellina *thin slices of cured beef, usu. served with oil or lemon*

Primi piatti: Soups and pasta
stracciatella *clear soup with eggs and cheese*
minestrone *thick vegetable soup*
spaghetti alla carbonara *with egg and bacon sauce*
spaghetti al sugo *with meat sauce*
spaghetti al pomodoro *with tomato sauce*
lasagne al forno *layers of pasta and meat sauce covered with cheese and baked*
cannelloni *pasta stuffed with meat sauce and baked*
ravioli *pasta squares stuffed with meat or other savoury filling, served with a sauce*
gnocchi *potato dumplings*
risotto alla milanese *rice cooked in white wine and saffron with mushrooms and cheese*

Carni: Meat dishes
manzo *beef*, maiale *pork*, vitello *veal*, agnello *lamb*
bistecca ai ferri/alla pizzaiola/alla fiorentina *grilled steak/steak with tomato sauce/grilled T-bone steak*
cotoletta alla milanese *veal cutlet in egg and breadcrumbs*
cotoletta d'agnello/di vitello *lamb/veal cutlet*
ossobuco *knuckle of veal in wine and tomato sauce*
saltimbocca alla romana *veal escalopes with ham and sage*
spezzatino di vitello *veal stew*
fegato alla veneziana *calf's liver thinly sliced and cooked in butter with onions*

Pollame: Poultry
pollo arrosto *roast chicken*
pollo alla cacciatora *chicken in a wine, onion and tomato sauce*

Pesce: Fish
fritto misto *mixed fried fish*
sogliola al burro *sole in butter sauce*
trota ai ferri *grilled trout*

Contorni: Vegetables
patate: arrosto/fritte/cotte *potatoes: roast/fried/boiled*
insalata mista *mixed salad*
pomodori al gratin *grilled tomatoes*
fagiolini al burro *French beans in butter*
finocchi al forno *fennel with cheese, browned in the oven*
melanzane al forno *baked aubergines in cheese sauce*
zucchini fritti *fried courgettes*
funghi *mushrooms*
cipolle *onions*

Formaggi: Cheese
Bel Paese *soft, full fat cheese*
caciotta *hard, medium fat cheese*
gorgonzola *soft, tangy blue cheese*
mozzarella *soft, sweet cheese made from buffalo's milk*
parmigiano *Parmesan*

Frutta e dolci: Desserts
macedonia *fruit salad*
bignè *profiteroles*
cassata *ice cream with candied fruit*
gelato *ice cream*
torta di mele/ciliege etc *apple/cherry etc tart*
zabaione *frothy dessert made with egg yolks, sugar and marsala wine*
zuppa inglese *trifle*

Liqueurs:
Sambuca *sort of anisette;* **amaro** *bitter, made with herbs;* **Fernet** *rather medicinal flavour, great for upset stomach or hangover;* **Strega** *unique flavour, herb-based*

Wines:
best wines show D.O.C. (Denominazione d'Origine Controllata) and the place where bottled (cantine di . . .) on the label; **Barolo, Barbera, Barbaresco** *full-bodied reds from Piedmont, go well with roasts and venison;* **Bardolino, Valpolicella** *light reds, go well with all kinds of meat;* **Pinot Bianco/Grigio** *dry whites from Friuli;* **Lambrusco** *sparkling red from Emilia;* **Frascati** *white, dry or sweet, from near Rome;* **Chianti** *red and white, from Tuscany, (the best is Chianti Classico);* **Verdicchio** *dry white from Marche, very good with fish*

message 1 une commission [kohmees-yōn] **2** eine Nachricht [ine-uh nah*k*-risht] **3** un messaggio [mays-s*ah*-jee-oh]

messieurs men

meter 1 le compteur [kōn-terr] **2** der Zähler [tsay-ler] **3** il contatore [kon-tah-t*oh*-ray]

metre 1 un mètre [maitr] **2** ein Meter [may-ter] **3** un metro [m*ay*-troh]

» *TRAVEL TIP: 1 metre = 39.37 ins = 1.09 yds*

feet	3.3	6.6	10	16.6	33	333
metres	1	2	3	5	10	100

midday: at midday 1 à midi [ah mee-dee] **2** mittags [mi-tahks] **3** a mezzogiorno [ah met-tzo-jor-noh]

middle: in the middle 1 au milieu [oh meel-yer] **2** in der Mitte [in dair mi-tuh] **3** nel mezzo [. . . m*e*t-tzoh]

midnight: at midnight 1 à minuit [ah meen-wee] **2** am Mitternacht [an mitter-nah*k*t] **3** a mezzanotte [ah met-tza-not-tay]

migraine 1 une migraine [mee-grain] **2** eine Migräne [mee-grain-uh] **3** un'emicrania [ay-mee-kr*a*n-yah]

mild 1 doux [doo] **2** mild [milt] **3** mite [m*ee*-tay]; *(cheese)* dolce [d*o*l-chay]

mile 1 un mille [meel] **2** eine Meile [my-luh] **3** un miglio [m*ee*l-yoh]

» *TRAVEL TIP: 1 mile = 1.6 km*
see also kilometre

milk 1 du lait [lay] **2** die Milch [milsh] **3** il latte [l*a*t-tay]

 condensed milk 1 du lait condensé [. . . kōndōn-say] **2** die Kondensmilch **3** il latte condensato

mince 1 de la viande hachée [vee-yōnd ah-shay] **2** das Hackfleisch [hack-flysh] **3** la carne tritata [k*a*r-nay tree-t*ah*-tah]

mind: I've changed my mind 1 j'ai changé d'avis [jay shōn-jay dah-vee] **2** ich habe es mir anders überlegt [ish h*a*h-buh ess meer anders ōberlaygt] **3** ho cambiato idea [o kam-bee-*ah*-toh ee-d*ay*-ah]

 do you mind if I . . .? 1 est-ce que ça vous dérange si je . . .? [esker sah voo day-rōnj see jer] **2** macht es Ihnen etwas aus, wenn ich . . .? [mah*k*t ess ee-nen et-vass ōwss ven ish] **3** le spiace se (io) . . .? [lay spee-*ah*-chay say *ee*-oh]

mineral water 1 de l'eau minérale [oh meenay-rahl]

2 das Mineralwasser [minerahl-vasser] **3** l'acqua minerale [. . .–rah-lay]

minimum 1 le minimum [meenee-mom] **2** das Minimum [minimoom] **3** il minimo [mee-nee-moh]

minute 1 une minute [mee-noot] **2** eine Minute [minoo-tuh] **3** un minuto [mee-noo-toh]

mirror 1 une glace [glahs] **2** ein Spiegel [shpee-ghel] **3** uno specchio [spek-yoh]

miss: we missed the train 1 nous avons manqué le train [nooz ah-von mon-kay] **2** wir haben den Zug verpaßt **3** abbiamo perso il treno [ab-bee-ah-moh . . .]
I shall miss you 1 tu me manqueras [too mer monk-rah] **2** du wirst mir fehlen [doo veerst mair faylen] **3** mi mancherai [mee man-kay-rah-ee]
there's . . . missing 1 il y a . . . qui manque [eel-yah . . . kee monk] **2** es fehlt . . . [ess faylt] **3** manca . . .

Miss 1 Mademoiselle [mahd-mwah-zel] **2** Fräulein [froy-line] **3** Signorina [see-nyo-ree-nah]

mist 1 la brume [broom] **2** der Nebel [naybel] **3** la foschia [fos-kee-ah]

mistake 1 une erreur [ay-rerr] **2** ein Fehler [fayler] **3** uno sbaglio [sbal-yoh]
you've made a mistake 1 vous vous êtes trompé [voo vooz ait tron-pay] **2** Sie haben sich vertan [zee hah-ben zish fair-tan] **3** si è sbagliato [–yah-toh]

misty 1 brumeux [broo-mer] **2** neblig [nay-blik]; *(hazy)* dunstig [doonstik] **3** nebbioso [–bee-oh-soh]

misunderstanding 1 un malentendu [mahlon-ton-doo] **2** ein Mißverständnis [miss-fair-shtent-niss] **3** un malinteso [–tay-soh]

mittens 1 des moufles [moofl] **2** die Fausthandschuhe [fowsst-hannt-shoo-uh] **3** le manopole [ma-no-po-lay]

modern 1 moderne [moh-dairn] **2** modern [modairn] **3** moderno [–ayr-noh]

mogul 1 une bosse [boss] **2** ein Buckel [bookel] **3** una gobba
mogul field 1 un champ de bosses [shon . . .] **2** die Buckelpiste **3** un campo a gobbe e cunette [. . .–tay]

moment: just a moment 1 un instant [ans-ton] **2** einen Augenblick **3** un attimo [at-tee-moh]

Monday 1 lundi [lan-dee] **2** Montag [mohn-tahg]

KEY 1 FRENCH **2** GERMAN **3** ITALIAN

....

3 lunedì [loo-nay-d*ee*]

money: I have no money 1 je n'ai pas d'argent [jer nay pah dahr-j*ōn*] **2** ich habe kein Geld [. . . kine gelt] **3** sono senza soldi [. . . s*en*-tzah . . .]

month 1 un mois [mwah] **2** ein Monat [moh-naht] **3** un mese [m*ay*-say]

moon 1 la lune [loon] **2** der Mond [mohnt] **3** la luna [*loo*-nah]

more 1 plus (de . . .) [ploo(s) (der)] **2** mehr [mair] **3** più (di . . .) [pew . . .]

more expensive (than) 1 plus cher (que) [ploo shair (ker)] **2** teurer (als) **3** più caro (che) [. . . kay]

more wine, please 1 encore du vin, s'il vous plaît [*ōn*-kor doo v*ān* . . .] **2** noch ein wenig Wein, bitte [n*ok* ine vayni*k* vine bittuh] **3** ancora del vino per favore [. . . *vee*-noh payr fa-v*oh*-ray]

there aren't any more 1 il n'y en a plus [eeln y*ōn*n ah ploo] **2** es sind keine mehr da **3** non ce ne sono più [non chay nay . . .]

morning: this morning 1 ce matin [ser mah-t*ān*] **2** heute morgen [hoy-tuh . . .] **3** questa mattina

most: the most . . . 1 le (la) plus . . . [ler . . . ploo] **2** der (das, die) –ste [–stuh] **3** il (la) più . . . [pew]

mother: my mother 1 ma mère [mah mair] **2** meine Mutter [mine-uh m*oo*ter] **3** mia madre [*mee*-ah m*ah*-dray]

mountain 1 une montagne [m*ōn*-tan] **2** ein Berg [bairk] **3** una montagna [mon-t*a*n-yah]

mountaineer 1 un alpiniste [alpee-neest] **2** ein Bergsteiger [–sht*y*ger] **3** un alpinista

mountaineering 1 l'alpinisme [alpee-neesm] **2** das Bergsteigen [–sht*y*gen] **3** l'alpinismo

mouth 1 la bouche [boosh] **2** der Mund [m*oo*nt] **3** la bocca

move (put elsewhere) 1 déplacer [dayplah-say] **2** verlegen [fair-l*a*y-ghen] **3** spostare [–ray]

don't move 1 ne bougez pas [ner boo-jay pah] **2** keine Bewegung! [kine-uh buh-vay-g*ōō*ng] **3** non si muova [non see mwo-vah]

don't move him 1 ne le déplacez pas [ner ler dayplah-say pah] **2** bewegen Sie ihn nicht [. . . een . . .] **3** non lo muova

Mr 1 Monsieur [mers-yerr] **2** Herr [hair] **3** Signor [seen-yor]

....

Mrs 1 Madame [mah-dam], Mme **2** Frau [frōw]
   3 Signora [seen-yo-rah]
much 1 beaucoup (de . . .) [boh-koo (der)] **2** viel [feel]
   3 molto
muscle: 1 un muscle [mooskl] **2** ein Muskel
   [mooss-kel] **3** un muscolo [moos-ko-loh]
music 1 la musique [moo-zeek] **2** die Musik
   [moozeek] **3** la musica [moo-see-kah]
must: I must have . . . 1 je dois avoir . . . [jer dwah
   av-wahr] **2** ich muß . . . haben [ish mooss . . .
   hah-ben] **3** devo avere . . . [day-voh a-vay-ray]
   we must not . . . 1 nous ne devons pas . . . [noo ner
   der-vōn pah] **2** wir dürfen nicht . . . [veer dōorfen
   nisht] **3** non dobbiamo . . . [. . . dob-bee-ah-moh]
   you must . . . 1 vous devez . . . [voo der-vay] **2** Sie
   müssen . . . [zee mōossen] **3** deve . . . [day-vay]

my *etc*	FRENCH	GERMAN	ITALIAN
my	mon, ma	mein, meine	il mio, la mia
	[mōn, mah]	[mine, –uh]	[mee-oh, –ah]
(plural)	mes	meine	i miei, le mie
	[may]	[mine-uh]	[mee-eh-ee . . .]
your	votre	Ihr, Ihre	il suo, la sua
	[vohtr]	[eer, eer-uh]	[soo-oh, –ah]
	vos	Ihre	i suoi, le sue
	[voh]		[soo-oh-ee . . .]
NB: informally: **1** ton . . . **2** dein . . . **3** tuo . . .			
his	son, sa	sein, seine	il suo, la sua
	[sōn, sah]	[zine, –uh]	
	ses	seine	i suoi, le sue
	[say]		[. . . soo-ay]
her	son, sa	ihr, ihre	il suo, la sua
	[sōn, sah]	[eer, eer-uh]	
	ses	ihre	i suoi, le sue
	[say]		
our	notre	unser, unsere	il nostro,
	[nohtr]	[oon-zer, –uh]	la nostra
	nos	unsere	i nostri,
	[noh]		le nostre [–ay]
their	leur	ihr, ihre	il loro, la loro
	[lerr]	[eer, eer-uh]	
	leurs	ihre	i loro, le loro
	[lerr]		[ee, lay . . .]

KEY 1 FRENCH **2** GERMAN **3** ITALIAN

....

nail *1 (on finger)* un ongle [ōngl]; *(in wood etc)* un clou [kloo] *2* ein Nagel [nah-ghel] *3 (finger)* un'unghia [oon-ghee-ah]; *(wood)* un chiodo [kee-o-doh]

nail clippers *1* une pince à ongles [pāns . . .] *2* ein Nagelzwicker [–tsvicker] *3* un tagliaunghie [tal-yah-oon-ghee-ay]

nail file *1* une lime à ongles [leem . . .] *2* eine Nagelfeile [–fy-luh] *3* una limetta da unghie [lee-mayt-tah . . .]

name *1* le nom [nōn] *2* der Name [nah-muh] *3* il nome [noh-may]

my name is . . . *1* je m'appelle . . . [jer mah-pel] *2* ich heiße . . . [ish hyss-uh] *3* mi chiamo . . . [mee kee-ah-moh]

what's your name? *1* quel est votre nom? [kel ay vohtr nōn] *2* wie heißen Sie? [vee hyssen zee] *3* come si chiama? [koh-may see kee-ah-mah]

napkin *1* une serviette [sairv-yet] *2* eine Serviette [zair-vee-ettuh] *3* un tovagliolo [toh-val-yo-loh]

narrow *1* étroit [ay-trwah] *2* eng *3* stretto

natural *1* naturel [nahtoo-rel] *2* natürlich [natōōrlish] *3* naturale [na-too-rah-lay]

near: near . . . *1* près (de . . .) [pray (der)] *2* in der Nähe (von) [in dair nay-uh (fon)] *3* vicino (a) [vee-chee-noh (ah)]

the nearest . . . *1* le . . . le plus proche [. . . ploo prosh] *2* der nächste . . . [. . . nex-stuh] *3* il più vicino . . . [. . . pew . . .]

neat *(drink)* *1* sec *2* pur [poor] *3* liscio [lee-shoh]

necessary *1* nécessaire [naysay-sair] *2* notwendig [noht-vendik] *3* necessario [nay-chays-sah-ree-oh]

neck *1* le cou [koo] *2* der Hals [halz] *3* il collo

need: I need . . . *1* j'ai besoin de . . . [jay ber-zwān der] *2* ich brauche . . . [ish browk-uh] *3* ho bisogno di . . . [o bee-sonn-yoh dee]

needle *1* une aiguille [ay-gwee] *2* eine Nadel [nah-del] *3* un ago [ah-goh]

neighbour *1* un voisin [vwah-zān] *2* ein Nachbar [nahk-bar] *3* un vicino [vee-chee-noh]

nervous *1* nerveux [nair-ver] *2* nervös [nair-vurrs] *3* nervoso

nettoyage à sec *dry cleaning*

never *1* jamais [jah-may] *2* niemals [nee-malz] *3* mai [mah-ee]

new *1* nouveau [noo-voh]; *(not used)* neuf [nerf] *2* neu [noy] *3* nuovo [nwo-voh]

news *1* les nouvelles [noo-vel] *2* die Nachrichten [nah*k*-rishten] *3* le notizie [no-*tee*-tzee-ay]

newspaper *1* un journal [joor-nal] *2* eine Zeitung [tsy*t*oong] *3* un giornale [jor-n*ah*-lay]

New Year *1* la nouvelle année [noo-vel ah-nay] *2* Neujahr [noy-yahr] *3* l'anno nuovo [. . . nw*o*-voh]

  on New Year's Day *1* le jour de l'An [ler joor der lōn] *2* an Neujahr *3* a Capodanno

  on New Year's Eve *1* à la Saint Sylvestre [ah lah sān seel-vaistr] *2* an Silvester *3* la sera di Capodanno [. . . s*ay*-rah dee . . .]

  happy New Year! *1* bonne année! [bon ah-nay] *2* ein gutes neues Jahr! [ine gootes noy-es yahr] *3* Buon Anno! [bwon . . .]

next *(bus, train)* *1* prochain [pro-shān] *2* nächster [nexter] *3* prossimo [pros-see-moh]

  next to . . . *1* à côté de . . . [ah koh-tay der] *2* neben . . . [n*ay*-ben] *3* vicino a . . . [vee-ch*ee*-noh ah]

  next week *1* la semaine prochaine [lah ser-main proh-shen] *2* nächste Woche *3* la settimana prossima

nice *(nice-looking)* *1* joli [joh-lee] *2* schön [shurrn] *3* bello; *(person)* *1* gentil [jōn-tee] *2* nett *3* simpatico [seem-p*ah*-tee-koh]; *(party etc)* *1* agréable [ahgray-ahbl] *2* angenehm [an-gheh–] *3* piacevole [pee-a-ch*ay*-vo-lay]

Nichtraucher no smoking

night *1* la nuit [nwee] *2* die Nacht [nah*k*t] *3* la notte [not-tay]

  night club *1* un night-club *2* ein Nachtklub [nah*k*t-klo̅o̅b] *3* un night club

  nightdress *1* une chemise de nuit [sher-meez . . .] *2* ein Nachthemd [–hemmt] *3* una camicia da notte [ka-m*ee*-chah . . .]

  night porter *1* le portier de nuit [pohrt-yay . . .] *2* der Nachtportier [nah*k*t-por-tee-ay] *3* il portiere di notte [por-tee-*ay*-ray dee . . .]

no *(reply)* *1* non [nōn] *2* nein [nine] *3* no

  there's no water *1* il n'y a pas d'eau [eel-nyah pah doh] *2* wir haben kein Wasser [veer h*a*h-ben kine vasser] *3* non c'è acqua [non cheh . . .]

KEY *1* FRENCH *2* GERMAN *3* ITALIAN

nobody *1* personne [pair-son] *2* niemand [nee-mannt] *3* nessuno

noise *1* le bruit [brwee] *2* der Krach [krak] *3* il rumore [roo-mo*h*-ray]

noisy *1* bruyant [brwee-yōn] *2* laut [lōwt] *3* rumoroso

none *1* aucun [oh-kān] *2* keiner [kine-er] *3* nessuno

non-smoker *1* non-fumeurs [nōn foo-mer] *2* Nichtraucher [nisht rōwk*u*h] *3* non fumatori

normal *1* normal [nohr-mal] *2* normal [norm*a*hl] *3* normale [nor-m*a*h-lay]

north *1* au nord [oh nor] *2* nach Norden [nahk . . .] *3* verso nord

Northern Ireland *1* l'Irlande du Nord [eer-lōnd doo nor] *2* Nordirland [nort-*eer*-lannt] *3* l'Irlanda del Nord

nose *1* le nez [nay] *2* die Nase [nah-zuh] *3* il naso
I've got a nosebleed *1* je saigne du nez [jer sayn . . .] *2* ich habe Nasenbluten [. . . nah-zen-bloo-ten] *3* ho il sangue al naso [. . . s*a*n-gway . . .]

not *1* pas [pah] *2* nicht [nisht] *3* non
not me *1* pas moi *2* ich nicht *3* io no
I don't want . . . *1* je ne veux pas . . . [ner . . .] *2* ich möchte . . . nicht *3* non voglio . . .
I didn't . . . *1* je n'ai pas . . . *2* ich habe nicht . . . *3* non ho . . .
I can't see anything *1* je ne vois rien *2* ich sehe nichts *3* non vedo niente

Notausgang *emergency exit*

note *(bank note)* *1* un billet (de banque) [bee-yay (der bōnk)] *2* ein Schein [shine] *3* una banconota

notepaper *1* le papier à lettres [pahp-yay ah laitr] *2* das Briefpapier *3* la carta da lettere [. . . *lay*-tay-ray]

nothing *1* rien [ree-yān] *2* nichts [nix] *3* niente [nee-*e*n-tay]

notice *(sign)* *1* un écriteau [aykree-toh] *2* eine Hinweistafel [–vys-tah-fel] *3* un avviso [av-*vee*-zoh]

November *1* novembre [noh-vōnbr] *2* November *3* novembre [–bray]

now *1* maintenant [mānt-nōn] *2* jetzt [yetst] *3* adesso

nowhere *1* nulle part [nool par] *2* nirgends [*neer*-ghenz] *3* da nessuna parte [dah nes-*soo*-nah p*a*r-tay]

numb *1* engourdi [ōngoor-dee] *2* taub [tōwp]
3 intorpidito [een-tor-pee-*dee*-toh]

number *1* le numéro [noomay-roh]; *(quantity)* le
nombre [nōnbr] *2* die Zahl [tsahl] *3* il numero
[noo-may-roh]

nurse *1* l'infirmière [ānfeerm-yair] *2* die
Krankenschwester [kranken-shvester] *3* l'infermiera
[een-fer-mee-*ay*-rah]

nursery slope *1* la piste pour débutants [peest poor
dayboo-tōn] *2* der Idiotenhügel [id-ee-oh-ten-hōō-
ghel] *3* la pista 'baby' [pees-tah. . .]

nylon *1* le nylon [nee-lōn] *2* das Nylon *3* il nailon
[ny-lon]

occupato engaged

October *1* octobre [ok-tohbr] *2* Oktober *3* ottobre
[ot-*toh*-bray]

of *1* de [der] *2* von [fon] *3* di [dee]

offer: can I offer you ...? *1* puis-je vous offrir ...?
[pweej vooz oh-freer] *2* darf ich Ihnen ... anbieten?
3 posso offrirle ...? [. . .–lay]

office *1* le bureau [boo-roh] *2* das Büro [bōōroh]
3 l'ufficio [oof-fee-choh]

often *1* souvent [soo-vōn] *2* oft *3* spesso

oil *1* l'huile [weel] *2* das Öl [urrl] *3* l'olio [ol-yoh]

old *1* vieux (vieille) [vee-yer, vee-yay] *2* alt *3* vecchio
[vek-yoh]

   how old are you? *1* quel âge avez-vous? [kel ahj
ah-vay voo] *2* wie alt sind Sie? [vee alt zinnt zee]
3 quanti anni ha? [kwan-tee an-nee ah]

omelette *1* une omelette *2* ein Omelett(e) [omuh-
lett(uh)] *3* un'omelette

   cheese/ham omelette *1* une omelette au
fromage/jambon [ohm-let oh froh-majh/jōn-bōn] *2* ein
Käseomlett/ein Schinkenomlett *3* un'omelette al
formaggio/prosciutto [. . . for-mah-joh/pro-shoot-toh]

on *1* sur [soor] *2* auf [ōwf] *3* su [soo]

   on Friday *1* vendredi *2* am Freitag *3* venerdì

once *1* une fois [oon fwah] *2* einmal [ine-mahl] *3* una
volta

one *1* un (une) [ān, oon] *2* ein [ine] *3* uno [oo-noh]

   the red one *1* le (la) rouge *2* der (die/das) rote [dair
(dee/dass) roh-tuh] *3* quello(a) rosso(a)

KEY *1* FRENCH *2* GERMAN *3* ITALIAN

only *1* seulement [serl-mōn] *2* nur [noor] *3* solo
  the only one *1* le seul [serl] *2* der einzige
  [ine-tsig-uh] *3* l'unico [loo-nee-koh]
open *1* ouvert [oo-vair] *2* offen; *(shop)* geöffnet
  [geh-urrf-net] *3* aperto
  (verb) *1* ouvrir *2* öffnen *3* aprire
operator: the operator *(telephone)* *1* l'opératrice
  [ohpay-rah-trees] *2* die Vermittlung [fair-mitt-loong]
  3 il centralino [chen-tra-lee-noh]
opposite *1* en face (de . . .) [ōn fahs (der)] *2* gegenüber
  [gay-ghen-ōōber] *3* davanti (a . . .)
or *1* ou [oo] *2* oder [oh-der] *3* o
orange *1* une orange [oh-rōnj] *2* eine Orange
  [oronj-uh] *3* un'arancia [ah-ran-chah]
  orange juice *1* un jus [joo] d'orange *2* ein
  Orangensaft [oronjen-zafft] *3* un succo d'arancia
  [sook-koh . . .]
order *1* commander [kohmōn-day] *2* bestellen
  [buh-shtellen] *3* ordinare [or-dee-nah-ray]
  it's out of order *1* ça ne marche pas [sah ner marsh
  pah] *2* es funktioniert nicht *3* è guasto [eh gwas-toh]
other *1* autre [ohtr] *2* andere [an-der-uh] *3* altro
  the other one *1* l'autre *2* der andere [dair
  an-der-uh] *3* quell'altro
otherwise *1* autrement [ohtrer-mōn] *2* sonst
  3 altrimenti
ounce *1 ounce = 28.35 grammes*
our *see* my
out *1* dehors [der-ohr] *2* hinaus *3* fuori [fwoh-ree]
outside *1* dehors [der-ohr] *2* draußen [drōwssen]
  3 fuori [fwoh-ree]
ouvert open
overcooked *1* trop cuit [troh kwee] *2* zu lange gekocht
  [tsoo lang-uh geh-kokt] *3* troppo cotto
overtrousers *1* un surpantalon [soorpōn-tah-lōn]
  2 eine Überhose [ōōber-hoh-zuh] *3* i sopracalzoni
  [–kal-tzoh-nee]
owe: what do I owe you? *1* combien est-ce que je vous
  dois? [kōnb-yān esker jer voo dwah] *2* was bin ich
  Ihnen schuldig? [vass bin ish ee-nen shooldik]
  3 quanto le devo? [. . . lay day-voh]
  you owe me . . . *1* vous me devez . . . [voo mer
  der-vay] *2* Sie schulden mir . . . *3* mi deve . . . [mee
  day-vay]

owner *1* le propriétaire [prohpree-yay-tair] *2* der Eigentümer [eye-ghen-tōomer] *3* il proprietario [pro-pree-ay-*tah*-ree-oh]

package tour *1* un voyage organisé [vwah-yahj orgah-nee-zay] *2* eine Pauschalreise [pōw-shahl-ry-zuh] *3* un viaggio organizzato [vee-*ah*-joh or-gah-nee-d*zah*-toh]

packed lunch *1* un pique-nique [peek-neek] *2* ein Lunchpaket [lunch-pa-kayt] *3* un cestino da viaggio [ches-*tee*-noh dah vee-*ah*-joh]

packet: a packet of ... *1* un paquet de ... [pah-kay der] *2* ein Paket ... *3* un pacchetto di ... [pak-k*ay*-toh dee]

pain: I've got a pain in my leg/back *1* j'ai mal à la jambe/aux reins *2* mir tut das Bein/der Rücken weh [meer toot dass bine/dair rōoken vay] *3* ho un dolore alla gamba/schiena [o oon doh-l*oh*-ray ... skee-*ay*-nah]

  painkillers *1* des calmants [kal-m*ōn*] *2* schmerzstillende Mittel [shmairts-shtill-end-uh ...] *3* gli analgesici [lee a-nal-j*ay*-see-chee]

painful *1* douloureux [dooloo-rer] *2* schmerzhaft [shmairts-haft] *3* doloroso [do-lo-r*oh*-soh]

pair: a pair of ... *1* une paire de ... [oon pair der] *2* ein paar ... [ine par] *3* un paio di [oon p*ah*-yoh dee]

pancake *1* une crêpe [kraip] *2* ein Pfannkuchen [pfan-koo*k*en] *3* una frittella

panties *1* un slip *2* ein Höschen [hurrs-shen] *3* le mutandine [moo-tan-d*ee*-nay]

pants *(underpants)* *1* un slip *2* die Unterhose [ōonter-hoh-zuh] *3* le mutande [moo-t*an*-day]

paper: a piece of paper *1* un (morceau de) papier [(mohr-soh der) pahp-yay] *2* ein Stück Papier [ine sht*ōo*ck pa-p*eer*] *3* un foglio [f*ol*-yoh]

  paper hankies *1* des mouchoirs en papier [moo-shwahr ...] *2* Papiertaschentücher [... tashen-t*ōo*k-er] *3* i fazzoletti di carta [fat-tzoh-l*ay*t-tee dee ...]

parallel *see* **turn**

parcel *1* un colis [koh-lee] *2* ein Paket [pa-kayt] *3* un pacco

---

pardon *(I didn't understand)* **1** pardon . . . [pahr-dōn]
2 wie bitte? [vee bittuh] **3** come? [koh-may]

parents: my parents 1 mes parents [may pah-rōn]
2 meine Eltern [mine Eltern] **3** i miei genitori [ee mee-*eh*-ee
jay-nee-*toh*-ree]

part: part of 1 une partie de [pahr-tee der] **2** ein Teil
von [ine tile fon] **3** una parte di [parr-tay dee]

party *(group)* **1** un groupe [groop] **2** eine Gruppe
[grōōp-uh] **3** una comitiva [ko-mee-*tee*-vah];
(celebration) **1** une réunion [ray-oon-yōn]; *(in the
evening)* une soirée [swah-ray] **2** eine Party **3** una
festa

pass *(col)* **1** un col **2** ein Paß [pass] **3** un passo
(ticket) **1** la carte [kart] **2** der Paß **3** la tessera
[*tes*-say-rah]
see also **ski pass**

passable *(road)* **1** praticable [prah-tee-kahbl]
2 passierbar [pas-*ee*r-bar] **3** transitabile
[tran-see-*tah*-bee-lay]

passport: my passport 1 mon passeport [mōn
pass-pohr] **2** mein Paß [mine pass] **3** il mio
passaporto [eel *mee*-oh . . .]

path 1 un chemin [sher-*mān*] **2** ein Weg [vayk] **3** un
sentiero [sen-tee-*eh*-roh]

pay 1 payer [pay-yay] **2** zahlen [tsahlen] **3** pagare
[pa-*gah*-ray]

peak 1 le sommet [soh-may] **2** der Gipfel [ghip-fel]
3 la vetta

peanuts: salted peanuts 1 des cacahuètes salées
[kahkah-wet sah-lay] **2** Erdnüsse [airt-nōōss-uh] **3** le
arachidi [a-r*ah*-kee-dee]

pear 1 une poire [pwahr] **2** eine Birne [beer-nuh]
3 una pera [p*ay*-rah]

peas 1 des petits pois [per-tee pwah] **2** Erbsen
[erp-sen] **3** i piselli [ee . . .]

pelvis 1 le bassin [bah-sān] **2** das Becken **3** il bacino
[ba-ch*ee*-noh]

pen 1 un stylo [stee-loh] **2** ein Kugelschreiber
[kooghel-shryber] **3** una penna

pencil 1 un crayon [kray-yōn] **2** ein Bleistift
[bly-shtift] **3** una matita [ma-*tee*-tah]

penicillin 1 la pénicilline [paynee-see-leen] **2** das
Penizillin [pen-its-illeen] **3** la penicillina
[pay-nee-cheel-*lee*-nah]

penknife *1* un canif [kah-neef] *2* ein
Taschenmesser *3* un temperino [–ree-noh]

pension *guesthouse*

people *1* les gens [jon] *2* die Leute [loy-tuh] *3* la gente
[jen-tay]

pepper *1* du poivre [pwahvr] *2* der Pfeffer *3* il pepe
[p*a*y-pay]

per: per cent *1* pour cent [poor son] *2* Prozent
[proh-tsent] *3* per cento [payr chen-toh]
per day/week/person *1* par jour/semaine/personne
2 pro Tag/Woche/Person [proh tahk/v*o*k-uh/pair-zohn]
3 per giorno/settimana/persona

perfume *1* un parfum [pahr-f*a*n] *2* ein Parfüm
[parf*oo*m] *3* un profumo [pro-f*oo*-moh]

period *(menstruation)* *1* les règles [raygl] *2* die
Periode [p*a*y-ree-oh-duh] *3* le mestruazioni
[mays-troo-a-tzee-*oh*-nee]

petrol *1* de l'essence [ay-s*o*ns] *2* das Benzin
[ben-tseen] *3* la benzina [ben-tzee-nah]
petrol station *1* une station-service [stahs-y*o*n-
sair-vees] *2* eine Tankstelle [tank-shtell-uh] *3* un
distributore di benzina [dees-tree-boo-t*o*h-ray dee . . .]

phone *see* **telephone**

photograph *1* une photo *2* eine Fotografie [foto-gra-
fee] *3* una fotografia [–fee-ah]
would you take a photograph of us? *1* est-ce que
vous pouvez nous prendre en photo? [esker voo poo-vay
noo pr*o*ndr on foh-toh] *2* würden Sie ein Bild von uns
machen? [v*oo*rden zee ine bilt fon conts mah-*k*en] *3* ci
fa la fotografia? [chee . . .]

picnic *1* un pique-nique [peek-neek] *2* ein Picknick
3 un picnic

picture *(photo)* *1* une photo *2* ein Bild *3* una foto

piece: a piece of . . . *1* un morceau de . . . [mohr-soh
der] *2* ein Stück . . . [ine sht*oo*ck] *3* un pezzo di . . .
[pet-tzoh dee]

pill *1* une pilule [pee-lool] *2* eine Tablette [tab-
lettuh] *3* una pillola [peel-loh-lah]
are you on the pill? *1* est-ce que tu prends la pilule?
[esker too pr*o*n lah pee-lool] *2* nimmst du die Pille?
[. . . pill-uh] *3* prendi la pillola?

pillow *1* un oreiller [ohray-yay] *2* ein Kissen *3* un

---

cuscino [koo-shee-noh]

pine 1 un pin [pan] **2** eine Kiefer [keefer] **3** un pino [pee-noh]

pineapple 1 un ananas [ahnah-nah] **2** eine Ananas **3** un *a*nanas

pink 1 rose [rohz] **2** rosa **3** rosa

pint = *0.57 litre; approx.* **1** un demi-litre [dermee-leetr] **2** halb Liter [halp lee-tuh] **3** mezzo litro [met-tzoh lee–]; *see also* **litre**

pipe 1 une pipe [peep] **2** eine Pfeife [pfy-fuh] **3** una pipa [pee-pah]
(for water) **1** un tuyau [twee-yoh] **2** ein Rohr [ror] **3** un tubo [too-boh]

piste 1 la piste [peest] **2** die Piste [piss-tuh] **3** la pista [pee-stah]
  off piste 1 hors piste [or . . .] **2** abseits der Piste [app-zites dair . . .] **3** fuori pista [fwoh-ree . . .]
  it's well pisted down 1 la piste est bien damée [. . . dah-may] **2** die Piste ist gut präpariert [. . . goot pray-pah-reert] **3** la pista è ben battuta [. . . bat-too-tah]
  see also **run**

pity: what a pity! 1 c'est dommage! [say doh-mahj] **2** o wie schade! [o vee shah-duh] **3** che peccato! [kay . . .]

plain: a plain omelette 1 une omelette nature [. . . nah-toor] **2** ein Omelettnatur **3** un'omelette al naturale [. . . ah-lay]

plane 1 l'avion [ahv-yon] **2** das Flugzeug [flook-tsoyk] **3** l'aereo [ah-eh-ray-oh]

plaster *(cast)* **1** un plâtre [plahtr] **2** ein Gips [ghips] **3** un gesso [jes-soh]; *see* **sticking plaster**

plastic: plastic bag 1 un sac en plastique [sak on plahs-teek] **2** eine Plastiktüte [–toot-uh] **3** un sacchetto di plastica [sak-kayt-toh dee plas-tee-kah]

plate 1 une assiette [ahs-yet] **2** ein Teller **3** un piatto [pee-at-toh]

platform 1 le quai [kay] **2** der Bahnsteig [bahn-shtyk] **3** il marciapiede [mar-cha-pee-eh-day]
  which platform? 1 quel quai? [kel kay] **2** welches Gleis? [velshes glice] **3** che binario? [kay bee-nah-ree-oh]

play 1 jouer [joo-ay] **2** spielen [shpeelen] **3** giocare [jo-kah-ray]

please 1 s'il vous plaît [seel voo play] **2** bitte [bittuh] **3** per favore [payr fa-voh-ray]

yes please *1* oui, merci *2* ja, bitte [yah bittuh] *3* sì, grazie [see gr*ah*-tzee-ay]

I am pleased with . . . *1* je suis content de . . . [jer swee k*ōn*-t*ōn* der] *2* ich bin zufrieden mit . . . [. . . tsoo-free-den . . .] *3* sono contento di [. . . dee]

pleasure: with pleasure *1* avec plaisir [ah-vek play-zeer] *2* mit Vergnügen *3* con piacere [kon pee-a-ch*ay*-ray]

pliers *1* des tenailles [ter-nah-ee] *2* die Zange [tsang-uh] *3* le pinze [p*ee*n-tzay]

plug *(electrical)* *1* la prise [preez] *2* der Stecker [shtecker] *3* la spina [sp*ee*-nah]
(sink etc) *1* la bonde [b*ō*nd] *2* der Stöpsel [shturrp-sel] *3* il tappo

poached egg *1* un oeuf poché [erf poh-shay] *2* ein pochiertes Ei [posheertes eye] *3* un uovo affogato [wo-voh . . .]

pocket *1* la poche [posh] *2* die Tasche [tash-uh] *3* la tasca

pole *(marking run etc)* *1* le piquet [pee-kay] *2* der Stock [shtock] *3* il palo [p*ah*-loh]
see **ski pole**

police *1* la police [poh-lees] *2* die Polizei [polits-eye] *3* la polizia [po-lee-tz*ee*-ah]

policeman *1* un agent de police [ah-j*ōn* der poh-lees] *2* ein Polizist [polits-ist] *3* un poliziotto [po-lee-tzee-ot-toh]

police station *1* le commissariat [kohmee-sahr-yah] *2* die (Polizei)wache [–vah*k*-uh] *3* il posto di [dee] polizia

polish *(for shoes)* *1* du cirage [see-rahj] *2* die Schuhcreme [sh*oo*-kray-muh] *3* il lucido [l*oo*-chee-doh]

poloneck *(sweater)* *1* le pull à col roulé [pool ah kol roo-lay] *2* der Rollkragenpullover [rol-krah-ghen–] *3* il maglione a collo altro risvoltato [mal-y*oh*-nay . . .–t*ah*-toh]

port *(drink)* *1* du porto *2* der Portwein [–vine] *3* il porto

porter *(hotel)* *1* le portier [port-yay] *2* der Portier [por-tee-ay] *3* il portiere [por-tee-*ay*-ray]
(at station etc) *1* un porteur [por-terr] *2* ein

Gepäckträger [gheh-peck-tray-gher] 3 un facchino

possible 1 possible [poh-seebl] 2 möglich [murr-glish] 3 possibile [pos-see-bee-lay]

post *(a letter)* 1 poster [pohs-tay] 2 aufgeben [ōwf-gay-ben] 3 impostare [eem-pos-tah-ray]

post box 1 une boîte aux lettres [bwaht oh laitr] 2 ein Briefkasten [breefkasten] 3 una cassetta delle lettere [... dayl-lay layt-tay-ray]

postcard 1 une carte postale [... pohs-tahl] 2 eine Postkarte [posst-kar-tuh] 3 una cartolina [kar-toh-lee-nah]

post office 1 la poste 2 das Postamt 3 l'ufficio postale [oof-fee-choh pos-tah-lay]

potatoes 1 des pommes de terre [pom der tair] 2 die Kartoffeln 3 le patate

pound 1 une livre [leevr] 2 ein Pfund [pfoont] 3 *(sterling)* una lira sterlina [lee-rah ster-lee-nah]; *(weight) approx* un mezzo chilo [met-tzoh kee-loh]

» *TRAVEL TIP:* 1 pound = 0.45 kilo; *the 'livre', 'Pfund' or 'mezzo chilo' is 500 g; see also* **kilo**

poussez push

pour 1 verser [vair-say] 2 gießen [gee-sen] 3 versare [–sah-ray]

powdered milk 1 du lait en poudre [lay ōn poodr] 2 Milchpulver [milk poolver] 3 il latte in polvere [lat-tay een pol-vay-ray]

power cut 1 une panne d'électricité [pan daylek-tree-see-tay] 2 ein Stromausfall [shtrohm-ōwss-fal] 3 una mancanza di corrente [man-kan-tzah (dee kor-ren-tay)]

power point 1 la prise de courant [preez der koo-rōn] 2 die Steckdose [shteck-doh-zuh] 3 la presa (di corrente) [pray-sah dee kor-ren-tay]

prawns 1 des crevettes roses [krer-vet rohz] 2 die Krabben [gam-bay-ree]

prefer: I prefer ... 1 je préfère ... [jer pray-fair] 2 ... gefällt mir besser [... gheh-fellt meer ...] 3 preferisco ...

pregnant 1 enceinte [ōn-sānt] 2 schwanger [shvanger] 3 incinta [een-cheen-tah]

prescription 1 une ordonnance [ohrdoh-nōns] 2 ein Rezept [rets-ept] 3 una ricetta [ree-chet-tah]

present 1 un cadeau [kah-doh] 2 ein Geschenk [gheh-shenk] 3 un regalo [ray-gah-loh]

pretty *1* joli [joh-lee] *2* hübsch [hoopsh] *3* carino [ka-*ree*-noh]

price *1* le prix [pree] *2* der Preis [price] *3* il prezzo [*pret*-tzoh]
　price list *1* le tarif [tah-reef] *2* die Preisliste *3* il listino prezzi [lees-*tee*-noh . . .]

prière de . . . *please* . . .

priest *1* un prêtre [praitr] *2* ein Priester [preester] *3* un prete [*preh*-tay]

private *1* privé [pree-vay] *2* privat [pree-*vaht*] *3* privato [pree-*vah*-toh]

probably *1* probablement [prohbah-bler-*mon*] *2* wahrscheinlich [vahr-sh*i*ne-lish] *3* probabilmente [–tay]

problem *1* un problème [proh-blem] *2* ein Problem [prob-*laym*] *3* un problema

promise: I promise that . . . *1* je promets que . . . [jer proh-*may* ker] *2* ich verspreche, daß . . . [ish fair-shpreshe dass] *3* prometto che . . . [. . . kay]

pronto soccorso *first aid*

protect *1* protéger [prohtay-jay] *2* schützen [shootsen] *3* proteggere [pro-*teh*-jay-ray]

Protestant *1* protestant [prohtes-*ton*] *2* evangelisch [ay-van-*gay*-lish] *3* protestante [–*tan*-tay]

PTT *Post Office*

public holiday *1* un jour férié [joor fayr-yay] *2* ein gesetzlicher Feiertag [gheh-zets-lisher fire-tahk] *3* un giorno festivo [jor-noh fes-*tee*-voh]

pull *(verb)* *1* tirer [tee-ray] *2* ziehen [tsee-en] *3* tirare [tee-*rah*-ray]

pulled *(muscle)* *1* claqué [klah-kay] *2* gezerrt [gheh-tsairt] *3* tirato [tee-*rah*-toh]

pure *1* pur [poor] *2* rein [rine] *3* puro [*poo*-roh]

purse *1* un porte-monnaie [port-moh-nay] *2* ein Portemonnaie [port-mon-*ay*] *3* un borsello

push *1* pousser [poo-say] *2* schieben [sheeben] *3* spingere [sp*een*-jay-ray]

put: where can I put . . . ? *1* où est-ce que je peux mettre . . . ? [wesker jer per maitr] *2* wo kann ich . . . hintun? [voh kann ish . . . h*i*ntoon] *3* dove posso mettere . . . ? [*doh*-vay pos-soh m*et*-tay-ray]
　where have you put . . . ? *1* où est-ce que vous avez

KEY *1* FRENCH *2* GERMAN *3* ITALIAN

mis . . .? [wesker vooz ah-vay mee] **2** wo haben
Sie . . . hingetan? [voh hah-ben zee . . . hin-
gheh-tahn] **3** dove ha messo . . .? [. . . ah . . .]

pyjamas 1 un pyjama [peejah-mah] **2** der Schlafanzug
[shlahf-an-tsook] **3** il pigiama [pee-jah-mah]

quai at station: platform

quarter: a quarter of an hour 1 un quart d'heure
[kahr-der] **2** eine Viertelstunde [ine-uh feer-tel-
shtoon-duh] **3** un quarto d'ora

queue 1 une file d'attente [feel dah-tont] **2** eine
Schlange [shlang-uh] **3** una coda

» *TRAVEL TIP: don't necessarily expect orderly queuing*

quick 1 rapide [rah-peed] **2** schnell [shnel] **3** svelto

quiet 1 tranquille [tron-keel] **2** ruhig [roo-ik] **3** quieto
[kwee-ay-toh]

race 1 une course [koors] **2** ein Rennen **3** una gara

radiator 1 le radiateur [rahd-yah-terr] **2** der
Heizkörper [hites-kurr-puh]; *(in car)* der Kühler
[kooler] **3** il radiatore [ra-dee-a-toh-ray]

radio 1 une radio [rahd-yoh] **2** ein Radio [rah-dee-oh]
3 una radio [rah-dee-oh]

rain 1 la pluie [plwee] **2** der Regen [ray-ghen] **3** la
pioggia [pee-o-jah]
it's raining 1 il pleut [pler] **2** es regnet [ess
rayg-net] **3** piove [pee-o-vay]

raincoat 1 un imperméable [anpair-may-ahbl] **2** ein
Regenmantel **3** un impermeabile [eem-per-may-
ah-bee-lay]

raisins 1 des raisins secs [ray-zan sek] **2** die Rosinen
[rozeenen] **3** l'uva passa

rare 1 rare [rahr] **2** selten [z–] **3** raro [rah-roh]
(steak) **1** saignant [sayn-yon] **2** blutig [bloo-tik] **3** al
sangue [. . . san-gway]

raspberries 1 des framboises [fron-bwahz]
2 Himbeeren [him-bair-en] **3** i lamponi [lam-poh-nee]

rate: do you have a special rate for . . .? 1 est-ce que
vous avez un tarif réduit pour . . .? [. . . an tah-reef
ray-dwee . . .] **2** gibt es Sonderpreise für . . .? **3** avete
una tariffa ridotta per . . .? [a-vay-tay . . . payr]

ratrack 1 le ratrack **2** die Pistenwalze [piss-ten-val-
tsuh] **3** il gatto delle nevi [. . . dayl-lay nay-vee]

Rauchen verboten no smoking
Raucher smoking compartment

raw 1 cru [kroo] **2** roh **3** crudo [kroo-doh]

razor *1* un rasoir [rah-zwahr] *2* ein Rasierapparat [ra-*zeer*–] *3* un rasoio [ra-*soh*-yoh]
razor blades *1* des lames de rasoir [lahm . . .] *2* die Rasierklingen *3* le lamette da barba [la-*mayt*-tay . . .]

read: something to read *1* quelque chose à lire [kel-ker shohz ah leer] *2* etwas zu lesen [et-vass tsoo lay-zen] *3* qualcosa da leggere [. . . *leh*-jay-ray]

ready *1* prêt [pray] *2* fertig [*fair*-tik] *3* pronto

receipt *1* une quittance [kee-*tōns*] *2* eine Quittung [kvit-*oong*] *3* una ricevuta [ree-chay-*voo*-tah]

reception *(hotel)* *1* la réception [rayseps-*yōn*] *2* der Empfang *3* il ricevimento [ree-chay-vee-*men*-toh]

recommend *1* recommander [rerkoh-*mōn*-day] *2* empfehlen [emp-*fay*-len] *3* consigliare [kon-seel-*yah*-ray]

red *1* rouge [rooj] *2* rot [roht] *3* rosso

reduction *1* une réduction [raydooks-*yōn*] *2* eine Ermäßigung [air-*mace*-ee-goong] *3* uno sconto

registered *1* recommandé [rerkoh-*mōn*-day] *2* per Einschreiben [pair ine-shryben] *3* raccomandata [–*dah*-tah]

remember: I don't remember *1* je ne me rappelle pas [jer ner mer rah-pel pah] *2* ich kann mich nicht errinern *3* non mi ricordo [. . . mee . . .]

renseignements *enquiries*

rent *1* louer [loo-ay] *2* mieten [meeten] *3* affittare [af-feet-*tah*-ray]

repair *1* réparer [raypah-ray] *2* reparieren [rep-a-*ree*-ren] *3* riparare [–*rah*-ray]

repeat *1* répéter [raypay-tay] *2* wiederholen [veeder-*hole*-en] *3* ripetere [ree-*peh*-tay-ray]

rescue party *1* la colonne de secours [koh-lon der ser-koor] *2* die Rettungsmannschaft [re*toongs*-man-shafft] *3* la squadra di soccorso
rescue services *1* les secours [ser-koor] *2* der Rettungsdienst [–deenst] *3* i servizi di soccorso [sayr-*vee*-tzee . . .]

reserve *1* réserver [rayzair-vay] *2* reservieren [rez-air-*vee*-ren] *3* prenotare [pray-no-*tah*-ray]

rest: the rest of . . . *1* le reste de . . . [rest der] *2* der Rest von . . . *3* il resto di . . .

KEY *1* FRENCH *2* GERMAN *3* ITALIAN

....

I want to have a rest *1* je veux me reposer
[... rerpoh-zay] *2* ich möchte mich (ein bißchen)
ausruhen *3* voglio riposarmi [vol-yoh ree-po-sar-mee]

restaurant *1* un restaurant [restoh-rōn] *2* ein
Restaurant [–rang] *3* un ristorante [–tay]

retired *1* à la retraite [ah lah rer-trait] *2* pensioniert
[pen-zee-oh-neert] *3* in pensione [een payn-see-oh-
nay]

return: a return to . . . *1* un aller-retour pour . . .
[... ah-lay rer-toor poor] *2* eine Rückfahrkarte
nach . . .[ine-uh rōōck-fahr-kartuh nahk] *3* un'andata
e ritorno per . . . [... ay ree-tor-noh payr]

reverse charge call *1* une communication en PCV
[kohmoo-nee-kahs-yōn ōn pay-say-vay] *2* ein
R-Gespräch [air-gheh-shpraysh] *3* una telefonata
addebitata al ricevente [... ad-day-bee-tah-tah al
ree-chay-ven-tay]

rez-de-chaussée ground floor

rib *1* une côte [koht] *2* eine Rippe [rip-uh] *3* una
costola [kos-toh-lah]

rice *1* du riz [ree] *2* der Reis [rice] *3* il riso [ree-soh]

ridge *1* l'arête [ah-rait] *2* der Kamm; *(steep)* der Grat
[graht] *3* lo spigolo [spee-go-loh]

right: it's not right *1* ce n'est pas juste [ser nay pah
joost] *2* das ist nicht richtig *3* non è giusto [... eh
joos-toh]

   you're right *1* vous avez raison [vooz ah-vay
ray-zōn] *2* Sie haben recht [zee hah-ben resht] *3* ha
ragione lei [ah ra-joh-nay lay]

   on the right *1* à droite [ah drwaht] *2* rechts
[reshts] *3* a destra

ring *(on finger)* *1* une bague [bag] *2* ein Ring *3* un
anello

river *1* une rivière [reev-yair] *2* ein Fluß [flōoss] *3* un
fiume [few-may]

road *1* une route [root] *2* eine Straße [shtrass-uh]
3 una strada

rock *(stone)* *1* un rocher [roh-shay] *2* ein Fels [fels]
3 una roccia [ro-chah]

   rock face *1* une paroi rocheuse [pah-rwah
roh-sherz] *2* eine Felswand [felz-vannt] *3* una parete

roll *(bread)* *1* un petit pain [per-tee pān] *2* ein
Brötchen [brurrt-shen] *3* un panino [pa-nee-noh]

roof *1* le toit [twah] *2* das Dach [dahk] *3* il tetto

roof rack *1* une galerie [gal-ree] *2* ein Dachträger [dak-tray-ghuh] *3* un portabagagli [por-tah bah-*gah*-lee]

room *1* une chambre [shōnbr] *2* ein Zimmer [tsimmer] *3* una camera [kah-may-rah]
there isn't enough room *1* il n'y a pas assez de place [eeln-yah pahz ah-say der plahs] *2* es ist nicht genug Platz *3* non c'è posto abbastanza [. . . cheh . . . –*ta*n-tzah]

rope *1* une corde [kord] *2* ein Seil [zile] *3* una corda [kor-dah]
rope up: should we rope up here? *1* est-ce qu'on doit s'encorder ici? [eskōn dwah sōnkor-day ee-see] *2* sollten wir uns hier anseilen? [zol-ten veer ōonts heer *a*n-zile-en] *3* dovremmo fare una cordata, qua? [. . . *fah*-ray . . .]

rosé *1* rosé *2* Rosé *3* rosé

round *(circular)* *1* rond [rōn] *2* rund [rōont] *3* rotondo
it's my round *1* c'est ma tournée [say mah toor-nay] *2* meine Runde *3* offro io [. . . *ee*-oh]

route *1* l'itinéraire [eetee-nay-rair] *2* die Strecke [shtreck-uh] *3* la strada [*strah*-dah]

rubber *1* du caoutchouc [kah-oo-tshoo] *2* der Gummi [gōo-mee] *3* la gomma

rubbish *1* les ordures [ohr-door] *2* der Abfall [app-fal] *3* la spazzatura [spat-tza-*too*-rah]

rucksack *1* un sac de montagne [sak der mōn-tan] *2* ein Rucksack [rōock–] *3* uno zaino [tza-*ee*-noh]

rude *1* impoli [ānpoh-lee] *2* unhöflich [ōon-hurrf-lish] *3* maleducato [ma-lay-doo-*kah*-toh]

rum *1* du rhum [rom] *2* der Rum [rōom] *3* il rum [room]

run *1* courir [koo-reer] *2* laufen [lōwfen] *3* correre [kor-ray-ray]
(ski) *1* la piste [peest] *2* die Piste, die Abfahrt [piss-tuh, *a*pp-fahrt] *3* la pista

» *TRAVEL TIP: in most Alpine resorts, beginners' runs are marked with green posts, easy runs with blue posts, moderate with red, and hard with black*

runout *1* la zone d'arrivée [zohn dahree-vay] *2* der Auslauf [ōwss-lōwf] *3* l'area d'arresto [ah-ray-ah . . .]

safe *1* sans danger [sōn dōn-jay] *2* sicher [zisher] *3* sicuro [see-*k*oo-roh]

KEY *1* FRENCH *2* GERMAN *3* ITALIAN

safety *1* la sécurité [saykoo-ree-tay] *2* die Sicherheit [zisher-hite] *3* la sicurezza [see-koo-rayt-tzah]
   safety pin *1* une épingle de sûreté [ay-pāngl der soor-tay] *2* eine Sicherheitsnadel [–snah-del] *3* una spilla di sicurezza [speel-lah dee . . .]

salad *1* une salade [sah-lad] *2* ein Salat [zal-aht] *3* un'insalata [–lah-tah]

salopettes *1* une salopette [sahloh-pet] *2* eine Lifthose [lift-hoh-zuh] *3* una tuta [too-tah]

salt *1* le sel *2* das Salz [zalts] *3* il sale [sah-lay]

same: the same *1* le(la) même [maim] *2* der-(die-, das-)selbe [dair-, dee-, dass-zel-buh] *3* lo(la) stesso(a)

sandwich *1* un sandwich *2* ein Sandwich *3* un panino (imbottito) [pah-nee-noh (eem-bot-tee-toh)]

sanitary towels *1* des serviettes hygiéniques [sairv-yet eej-yay-neek] *2* die Damenbinden [dah-men-bin-den] *3* gli assorbenti igienici [lee . . . ee-jay-nee-chee]

Saturday *1* samedi [sam-dee] *2* Samstag [zams-tahg] *3* sabato [sah-ba-toh]

saucepan *1* une casserole [kas-rohl] *2* ein Kochtopf [kok-topf] *3* una casseruola [kas-sayr-wo-lah]

sauna *1* le sauna [soh-nah] *2* die Sauna [zōw-na] *3* la sauna [sah-oo-nah]

sausage *1* une saucisse [soh-sees]; *(cold)* un saucisson [sohsee-sōn] *2* eine Wurst [voorst] *3* una salsiccia [sal-see-chah]

save *(life etc)* *1* sauver [soh-vay] *2* retten *3* salvare [sal-vah-ray]

say *1* dire [deer] *2* sagen [zah-ghen] *3* dire [dee-ray]
   what did you say? *1* qu'est-ce que vous avez dit? [kesker vooz ah-vay dee] *2* was haben Sie gesagt? [vass hah-ben zee gheh-zahgt] *3* cosa ha detto? [. . . ah dayt-toh]

scarf *1* un foulard [foo-lar] *2* ein Halstuch [halz-took]; *(headscarf)* ein Kopftuch *3* una sciarpa [shar-pah]; *(headscarf)* un fazzoletto [fat-tzo-layt-toh]

scenery *1* le paysage [payee-zahj] *2* die Landschaft [lannt-shafft] *3* il panorama

Schließfächer *luggage lockers*

school *1* une école [ay-kol] *2* eine Schule [shool-uh] *3* una scuola [skwo-lah]
   see **ski school**

schuss *1* un schuss *2* ein Schuß [shooss] *3* uno schuss

scissors: a pair of scissors *1* une paire de ciseaux

[pair der see-zoh] **2** eine Schere [shay-ruh] **3** un paio
di forbici [pah-yoh dee for-bee-chee]
Scotland 1 l'Ecosse [ay-kos] **2** Schottland
[shott-lannt] **3** la Scozia [sko-tzee-ah]
  Scottish 1 écossais [aykoh-say] **2** schottisch
  [shottish] **3** scozzese [skot-tzay-say]
scrambled eggs 1 des oeufs brouillés [er broo-yay]
2 Rührei [rōor-eye] **3** le uova strapazzate [lay wo-vah
stra-pat-tzah-tay]
scratch 1 une éraflure [ayrah-floor] **2** ein Kratzer
3 un graffio [graf-fee-oh]
screw 1 une vis [vees] **2** eine Schraube [shrōw-buh]
3 una vite [vee-tay]
  screwdriver 1 un tournevis [toorner-vees] **2** ein
  Schraubenzieher [−ben-tsee-er] **3** un cacciavite
  [ka-cha-vee-tay]
search 1 chercher [shair-shay] **2** suchen [zook-en]
3 cercare [chayr-kah-ray]
  search party 1 une expédition de secours
  [expay-dees-yōn der ser-koor] **2** eine Suchmannschaft
  [zook-man-shafft] **3** una squadra di soccorso
  [skwah-drah dee . . .]
season 1 la saison [say-zōn] **2** die Saison [zez-ong] **3** la
stagione [sta-joh-nay]
  high/low season 1 la haute/basse saison
  [oht/bahs . . .] **2** die Hoch/Nebensaison [hohk−,
  nay-ben−] **3** l'alta/la bassa stagione
  see **ticket**
seasoning 1 l'assaisonnement [ahsay-zon-mōn] **2** das
Gewürz [geh-vōorts] **3** il condimento
seat *(in train etc)* **1** une place [plahs] **2** ein Platz
[platss] **3** un posto
  is this somebody's seat? 1 est-ce que cette place est
  prise? [esker . . . preez] **2** sitzt hier jemand? [zitst heer
  yay-mannt] **3** è occupato questo posto?
second *(1″)* **1** une seconde [ser-gōnd] **2** eine Sekunde
[zeck-onduh] **3** un secondo
  (2nd) **1** deuxième [derz-yem] **2** zweite [tsvy-tuh]
  3 secondo
  second-hand 1 d'occasion [dohkahz-yōn]
  2 gebraucht [geh-brōwkt] **3** di seconda mano
  [dee . . .]

---

see *1* voir [vwahr] *2* sehen [zay-en] *3* vedere
[vay-d*a*y-ray]
  have you seen . . .? *1* est-ce que vous avez vu . . .?
  [. . . voo] *2* haben Sie . . . gesehen? [h*a*h-ben zee . . .
  geh-z*a*y-en] *3* ha visto . . .? [ah . . .]
  see you tonight/tomorrow *1* à ce soir/à demain [ah
  ser swahr/a der-m*a*n] *2* bis heute abend/bis morgen
  [biss hoy-tuh ah-bent/biss mor-ghen] *3* a
  stasera/domani [ah sta-s*a*y-rah/doh-m*a*h-nee]
sell *1* vendre [v*o*ndr] *2* verkaufen [fair-k*o*wfen]
  3 vendere [v*a*yn-day-ray]
send *1* envoyer [*o*nvwah-yay] *2* schicken [shicken]
  3 spedire [spay-d*ee*-ray]
separately *1* séparément [saypah-ray-m*o*n]
  2 getrennt [gheh–] *3* separatamente [say-pa-rah-
  tah-men-tay]
September *1* septembre [sep-t*o*nbr] *2* September [z–]
  3 settembre [–bray]
serious: is it serious? *(injury etc)* *1* est-ce que c'est
  grave? [. . . grahv] *2* ist es schlimm? [isst ess shlim]
  3 è grave? [eh gr*a*h-vay]
serve *1* servir [sair-veer] *2* servieren *3* servire [–v*ee*-ray]
service, service charge *1* le service [sair-vees] *2* der
  Bedienung [ber-v*ee*-tzee-oh] *3* il servizio [ser-v*ee*-tzee-oh]
several *1* plusieurs [plooz-yerr] *2* mehrere
  [mair-uh-ruh] *3* diversi [dee-v*er*-see]
sew *1* coudre [koodr] *2* nähen [n*a*y-en] *3* cucire
  [koo-ch*ee*-ray]
shade: in the shade *1* à l'ombre [ah l*o*nbr] *2* im
  Schatten [. . . shat-en] *3* all'ombra
shampoo *1* un shampooing [sh*o*n-pw*a*n] *2* ein
  Shampoo(n) *3* uno shampoo [sh*a*m-poh]
  shampoo and set *1* une mise en plis [meez *o*n
  plee] *2* Waschen und Legen [vashen *o*nt l*a*y-ghen]
  3 shampoo e messa in piega [. . . pee-*a*y-gah]
shandy *1* une bière panachée [bee-yair pahnah-shay]
  2 ein Radlermaß [ine r*a*ht-ler-mahss] *3* una birra
  e limonata [beer-rah ay . . .]
share *1* partager [pahrtah-jay] *2* teilen [tile-en]
  3 dividere [dee-v*ee*-day-ray]
sharp *(blade etc)* *1* coupant [koo-p*o*n] *2* scharf
  [sharf] *3* affilato [–l*a*h-toh]
shave *1* se raser [ser rah-zay] *2* sich rasieren [zish
  ra-z*ee*-ren] *3* radersi [rah-d*a*yr-see]

shaver 1 un rasoir [rah-zwahr] **2** ein Rasierapparat [ra-zeer–] **3** un rasoio [ra-soh-yoh]

shaving foam 1 de la mousse à raser [moos ah rah-zay] **2** der Rasierschaum [–shōwm] **3** la schiuma da barba [skew-mah . . .]

shaving point 1 une prise-rasoir [preez–] **2** eine Steckdose für Rasierapparate [ine-uh steck-doh-zuh fōr . . .] **3** una presa per il rasoio

she 1 elle [el] **2** sie [zee] **3** lei [lay]

sheet 1 un drap [drah] **2** ein Leintuch [line-took] **3** un lenzuolo [len-tzwo-loh]

shelter 1 un abri [ah-bree] **2** ein Unterstand [ōonter-shtannt] **3** un riparo

sherry 1 un xérès [gzay-res] **2** ein Sherry **3** uno sherry

shin 1 le tibia [teeb-yah] **2** das Schienbein [sheen-bine] **3** la tibia [tee-bee-ah]

shirt 1 une chemise [sher-meez] **2** ein Hemd [hemmt] **3** una camicia [ka-mee-chah]

see **chest, collar**

shock 1 un choc [shok] **2** ein Schock **3** uno shock

electric shock 1 une décharge électrique [day-sharj aylek-treek] **2** ein Schlag [shlahg] **3** una scossa

shoes 1 des chaussures [shoh-soor] **2** die Schuhe [shoo-uh] **3** le scarpe [skar-pay]

» *TRAVEL TIP: shoe sizes*

UK	4	5	6	7	8	9	10	11
Continent	37	38	39	41	42	43	44	46

shop 1 un magasin [mahgah-zān] **2** ein Geschäft [gheh-shefft] **3** un negozio [nay-go-tzee-oh]

shopping: I've got some shopping to do 1 j'ai des courses à faire [jay day koors ah fair] **2** ich muß ein paar Einkäufe erledigen [ish mooss ine parine-koy-fuh air-lay-dig-en] **3** devo fare delle compere [day-voh fah-ray del-lay kom-pay-ray]

short 1 court [koor] **2** kurz [kōorts] **3** corto

short cut 1 un raccourci [rahkoor-see] **2** eine Abkürzung [ine-uh app-kōorts-ōong] **3** una scorciatoia [skor-cha-toh-yah]

shoulder 1 l'épaule [ay-pohl] **2** die Schulter [shōolter] **3** la spalla

shout 1 crier [kree-yay] **2** rufen [roofen] **3** gridare [gree-dah-ray]

KEY 1 FRENCH **2** GERMAN **3** ITALIAN

....

show: show me ... 1 montrez-moi ... [mōn-tray mwah] **2** zeigen Sie mir ... [tsy-ghen zee meer] **3** mi mostri ... [mee mos-tree]

shower 1 une douche [doosh] **2** eine Dusche [doosh-uh] **3** una doccia [doh-chah]

shrink 1 rétrécir [raytray-seer] **2** eingehen [ine-gay-en] **3** restringere [–treen-jay-ray]

shut 1 fermer [fair-may] **2** schließen [shlee-sen] **3** chiudere [kee-oo-day-ray]

shy 1 timide [tee-meed] **2** schüchtern [shōōsh-tern] **3** timido [tee-mee-doh]

si prega di non ... *please do not ...*

sick 1 malade [mah-lad] **2** krank **3** malato [ma-lah-toh]

I feel sick 1 je ne me sens pas bien [jer ner mer sōn pah bee-yān] **2** mir ist schlecht [meer isst shlesht] **3** mi sento male [mee sen-toh mah-lay]

he's been sick 1 il a vomi [eel ah voh-mee] **2** er hat gebrochen [air hat gheh-brok-en] **3** ha vomitato [ah vo-mee-tah-toh]

side 1 le côté [koh-tay] **2** die Seite [zy-tuh] **3** il lato [lah-toh]

on this side 1 de ce côté **2** auf dieser Seite [ōwf deezer zy-tuh] **3** da questa parte [... par-tay]

side slipping 1 le dérapage [dayrah-pahj] **2** das seitliche Abrutschen [zite-lish-uh app-rootshen] **3** il dérapage [day-rah-pahj], lo slittamento

side stepping 1 la montée en escalier [mōn-tay ōnn eskahl-yay] **2** der Treppenschritt [–shrit] **3** il passo a scala [... skah-lah], la scaletta

sign 1 un écriteau [aykree-toh] **2** ein Schild [shilt] **3** un cartello

silk 1 la soie [swah] **2** die Seide [zy-duh] **3** la seta [say-tah]

silly 1 stupide [stoo-peed] **2** dumm [doomm] **3** sciocco [shok-koh]

silver 1 l'argent [ahr-jōn] **2** das Silber [zilber] **3** l'argento [ar-jen-toh]

simple 1 simple [sānpl] **2** einfach [ine-fahk] **3** semplice [saym-plee-chay]

since *(from)* **1** depuis [der-pwee] **2** seit [zite] **3** da

sing 1 chanter [shōn-tay] **2** singen [zingen] **3** cantare [kan-tah-ray]

single: single room 1 une chambre pour une personne

....

[shōnbr poor oon pair-son] **2** ein Einzelzimmer
[ine-tsel-tsimmer] **3** una camera singola
[kah-may-rah seen-go-lah]

single bed 1 un lit à une place [lee ah oon plahs]
2 ein Einzelbett [ine-tsel–] **3** un letto singolo

I'm single 1 je suis célibataire [jer swee saylee-
bah-tair] **2** ich bin ledig [ish bin lay-dik] **3** non
sono sposato

a single to ... 1 un billet aller pour ... [ān bee-yay
ah-lay poor ...] **2** einmal einfach nach ... [ine-
mal ine-fahk nahk] **3** un'andata per ... [oon an-
dah-tah pair ...]

sink *(kitchen)* **1** l'évier [ayv-yay] **2** der Ausguß
[ōwss-gœss] **3** il lavandino [–dee-noh]

sister: my sister 1 ma soeur [mah serr] **2** meine
Schwester [mine-uh shvester] **3** mia sorella
[mee-ah ...]

sit: can I sit here? 1 est-ce que je peux m'asseoir ici?
[... ah-swahr ...] **2** kann ich mich hierher setzen?
[kan ish mish heer-hair zetsen] **3** posso sedermi qui?
[... say-dayr-mee kwee]

size 1 la taille [tie]; *(of shoes)* la pointure
[pwān-toor] **2** die Größe [grurr-suh] **3** la taglia
[tal-yah]; *(shoes)* il numero [noo-may-roh]

skates 1 les patins [pah-tān] **2** die Schlittschuhe
[shlit-shoo-uh] **3** i pattini [pat-tee-nee]

skating 1 le patinage [pahtee-nahj] **2** das
Schlittschuhlaufen [–lōwf-en] **3** il pattinaggio
[–nah-joh]
see also **turn**

ski 1 le ski [skee] **2** der Ski [shee] **3** lo sci [shee]
compact ski 1 un ski compact [... kōn-pakt] **2** ein
Kompakt-Ski **3** uno sci compatto
full length ski 1 un ski long [... lōn] **2** ein langer
Ski [lang-uh ...] **3** uno sci lungo [... loon-goh]
mid-length ski 1 un ski moyen [... mwah-yān]
2 ein mittlerer Ski [mit-luh-rer ...] **3** uno sci di
media lunghezza [... meh-dee-ah loon-gayt-tzah]
short ski 1 un ski court [... koor] **2** ein Kurz-Ski
[kœrts–] **3** uno sci corto
running surface 1 la semelle [ser-mel] **2** die
Lauffläche [lōwf-flesh-uh] **3** la base scorrevole

KEY *1* FRENCH **2** GERMAN **3** ITALIAN

[b*ah*-zay skor-ray-vo-lay]
see also **bag**

ski boots *1* les chaussures de ski [shoh-soor . . .] *2* die Skistiefel [sh*ee*-shteefel] *3* gli scarponi da sci [lee skar-p*oh*-nee . . .]

high-back *1* à tige haute [ah teej oht] *2* mit hohem Schaft [. . . hoh-em shafft] *3* col dorso alto

inner boot *1* le chausson intérieur [shoh-s$\overline{on}$ $\overline{an}$tayr-yerr] *2* der Innenschuh [*i*n-en-shoo] *3* la scarpa interna

skid *1* déraper [dayrah-pay] *2* schleudern [shl*oy*-dern] *3* sbandare [sban-d*ah*-ray]

skier *1* un skieur (une skieuse) [skee-yerr] *2* ein Skiläufer (eine Skiläuferin) [shee-loy-fuh] *3* un sciatore (una sciatrice) [shah-t*oh*-ray]

ski-flying *1* le vol à ski *2* das Skifliegen [–flee-ghen] *3* il volo da sci

skiing *1* le ski [shee] *2* Skilaufen [shee-l$\overline{ow}$-fen] *3* lo sci [shee]

ski-jump *1* le tremplin [tr$\overline{on}$-pl$\overline{an}$] *2* die Sprungschanze [shpr*o*ng-shants-uh] *3* il trampolino [–*lee*-noh]

ski-jumping *1* le saut à ski [soh . . .] *2* das Skispringen [–shpring-en] *3* il salto da sci [s*a*l-toh . . .]

ski-jumper *1* le sauteur [soh-terr] *2* der Skispringer *3* il saltatore [–ray]

ski lift *1* le téléski [taylay-ski] *2* der Lift *3* lo ski lift

button lift *1* le téléski à perche [. . . ah pairsh] *2* der Lift mit Teller *3* il traino a piattello [. . . pee-at-t*e*l-loh]

T-bar lift *1* le téléski à archet [. . . ah ar-shay] *2* der Lift mit Querstange [. . . kv*a*yr-shtang-uh] *3* lo ski lift doppio [. . . d*o*p-pee-oh]

may I go up with you? *1* est-ce que je peux monter avec vous? [esker jer per m$\overline{on}$-tay ah-vek voo] *2* kann ich mit Ihnen hochfahren? [kann ish mit *ee*n-en hoh*k*-fahren] *3* posso salire con lei? [. . . sah-*lee*-ray kon lay]

shall I take the bar? *1* je prends la perche? [jer pr$\overline{on}$ lah pairsh] *2* soll ich die Stange nehmen? [zoll ish dee shtang-uh n*a*y-men] *3* prendo la sbarra?

try to stay upright *1* essayez de vous tenir droit [aysay-yay der voo ter-neer drwah] *2* versuchen Sie,

aufrecht zu bleiben [fair-*zook*en zee ōwf-resht tsoo
bly-ben] **3** provi a stare dritto [. . . st*ah*-ray . . .]

try to keep your skis off mine 1 essayez de ne pas
accrocher mes skis avec les vôtres [. . . der ner pahz
ahkroh-shay may skee ah-vek lay vohtr] **2** versuchen
Sie, nicht mit Ihren Skiern an meine zu kommen
[. . . nisht mit *ee*-ren shee-ern an mine-uh tsoo
kommen] **3** cerchi di togliere i suoi sci dai miei
[ch*ay*r-kee dee t*o*l-yay-ray ee soo-*oh*-ee shee d*ah*-ee
mee-*eh*-ee]

keep your skis in the tracks 1 gardez vos skis dans
les traces [gar-day . . . dōn lay trahs] **2** bleiben Sie mit
den Skiern in der Spur [bly-ben zee mit dayn shee-ern
in dair shpoor] **3** tieni gli sci nei solchi segnati
[tee-*ay*-nee lee shee nay s*o*l-kee sayn-*yah*-tee]

get off the track! 1 ôtez-vous de la piste! [ohtay-
voo . . .] **2** Bahn frei! [bahn fry] **3** si levi della pista!

when does the lift start/stop? 1 quand est-ce que le
téléski ouvre/s'arrête? [kōnt esker . . . oovr/sah-ret]
2 wann geht der erste/letzte Lift? **3** quando parte/
si ferma lo ski lift? [. . . p*ar*-tay . . .]

ski-mountaineering 1 le ski de haute-montagne
[. . . oht-mōn-tan] **2** Skibergtouren [sh*ee*-bairk-
too-ren] **3** lo sci-alpinismo [. . .–n*ee*s-moh]

skin 1 la peau [poh] **2** die Haut [hōwt] **3** la pelle
[p*el*-lay]

skins 1 les peaux [poh] **2** die Felle [fell-uh] **3** le pelli
[p*el*-lee]

stick-on skins 1 des peaux auto-collantes [. . . ohtoh-
koh-lōnt] **2** selbsthaftende Felle [zelpst-haf-ten-
duh . . .] **3** le pelli adesive [. . .–*zee*-vay]

skin straps 1 les lanières de fixation des peaux
[lan-yair der feeksahs-yōn . . .] **2** die Fellriemen
[fell-ree-men] **3** le cinghie [ch*een*-ghee-ay]

ski pants 1 un pantalon de ski [pōntah-lōn . . .] **2** die
Skihose [sh*ee*-hoh-zuh] **3** i pantaloni da sci

ski pass 1 l'abonnement aux remontées [ahbon-mōn oh
rermōn-tay] **2** der Skipaß [shee-pahs] **3** lo skipass

ski patrol 1 les pisteurs [pees-terr] **2** die Pistenwacht
[p*i*ss-ten-vah*k*t]

ski pole 1 le bâton (de ski) **2** der Skistock [shee–] **3** il
bastoncino (da sci) [bas-ton-ch*ee*-noh . . .]

KEY 1 FRENCH **2** GERMAN **3** ITALIAN

skirt 1 une jupe [joop] **2** ein Rock **3** una gonna

ski school 1 l'école de ski [ay-kol . . .] **2** die Skischule [shee-shool-uh] **3** la scuola di sci [skwo-lah . . .]

YOU MAY HEAR

1 pliez les genoux	*bend your knees*
penchez-vous en avant	*lean forward*
. . . en amont/aval	*. . . uphill/downhill*
2 Knie beugen	*bend your knees*
nach vorn beugen	*lean forward*
Bergski/Talski belasten	*lean uphill/downhill*
3 pieghi le ginocchia	*bend your knees*
pieghi in avanti	*lean forward*
. . . a monte/a valle	*. . . uphill/downhill*

ski suit 1 une combinaison de ski [konbee-nay-zōn . . .] **2** ein Skianzug [shee-an-tsoog] **3** una tuta da sci [too-tah . . .]

ski-touring 1 la randonnée à ski [rōndoh-nay . . .] **2** Skitouren [shee-too-ren] **3** lo sci-turismo

skull: broken skull 1 une fracture du crâne [frak-toor doo krahn] **2** ein Schädelbruch [shay-del-brook] **3** il cranio fratturato [krah-nee-oh . . .]

sky 1 le ciel [see-yel] **2** der Himmel **3** il cielo [chay-loh]

slalom 1 le slalom spécial [slah-lom spays-yal] **2** der (Spezial)slalom [spets-ee-ahl–] **3** lo slalom speciale [. . . spay-chah-lay]

giant slalom 1 le slalom géant [. . . jay-ōn] **2** der Riesenslalom [reezen–] **3** lo slalom gigante [. . . jee-gan-tay]

sledge *(first aid)* **1** un traîneau [tray-noh] **2** ein Akja [ak-yah] **3** una slitta [sleet-tah]
(for kids) **1** une luge [looj] **2** ein Schlitten [shlitten] **3** uno slittino [sleet-tee-noh]

sleep 1 dormir [dor-meer] **2** schlafen [shlah-fen] **3** dormire [dor-mee-ray]

sleeper *(train)* **1** un wagon-lit [vah-gōn-lee] **2** ein Schlafwagen [shlahf-vah-ghen] **3** un vagone letto [vah-goh-nay . . .]

sleeping bag 1 un sac de couchage [sak der koo-shahj] **2** ein Schlafsack **3** un sacco a pelo [. . . pay-loh]

sleeping pill 1 un somnifère [somnee-fair] **2** eine Schlaftablette [–lettuh] **3** un sonnifero [sonn-nee-fay-roh]

sleet 1 de la neige mêlée de pluie [nej may-lay der

plwee] **2** der Schneeregen [shn*a*y-ray-ghen] **3** il nevischio [nay-v*ee*s-kee-oh]

sleeve 1 la manche [m*ōn*sh] **2** der Ärmel [*ai*r-mel] **3** la manica [m*ah*-nee-kah]

sleigh 1 un traîneau [tray-noh] **2** ein Schlitten **3** una slitta [sl*ee*t-tah]

slice 1 une tranche [tr*ōn*sh] **2** eine Scheibe [shy-buh] **3** una fetta

slide 1 glisser [glee-say] **2** rutschen [r*oo*tshen] **3** scivolare [shee-vo-l*ah*-ray]
(photo) **1** une diapositive [dee-yah-poh-zee-teev] **2** ein Dia [d*ee*-ah] **3** una diapositiva [dee-a-po-see-t*ee*-vah]

sling *(for broken arm)* **1** une écharpe [ay-sharp] **2** eine Schlinge [shling-uh] **3** un bendaggio ad armacollo [ben-d*ah*-joh . . .]

slip 1 glisser [glee-say] **2** ausrutschen [*ōw*ss-r*oo*tshen] **3** scivolare [shee-vo-l*ah*-ray]

slippery 1 glissant [glee-s*ōn*] **2** glatt **3** sdrucciolevole [zdroo-cho-l*a*y-vo-lay]

slope 1 la pente [p*ōn*t] **2** der Abhang [*a*pp-hang] **3** il pendio [pen-d*ee*-oh]

slow 1 lent [l*ōn*] **2** langsam [l*a*ng-zahm] **3** lento [l*e*n-toh]; **slower 1** plus lentement [ploo l*ōn*t-m*ōn*] **2** langsamer [l*a*ng-zahmer] **3** più lentamente [pew len-ta-m*a*yn-tay]

slush 1 la neige fondue [nej f*ōn*-doo] **2** der Schneematsch [shn*a*y-match] **3** la neve sciolta [n*a*y-vay shol-tah]

small 1 petit [per-tee] **2** klein [kline] **3** piccolo

smell 1 une odeur [oh-derr] **2** ein Geruch [gheh-r*oo*k] **3** un odore [o-d*oh*-ray]

smoke 1 la fumée [foo-may] **2** der Rauch [r*ōw*k] **3** il fumo [f*oo*-moh]
do you smoke? 1 est-ce que vous fumez? [esker voo foo-may] **2** rauchen Sie? [r*ōw*k*e*n zee] **3** fuma?
can I smoke? 1 est-ce que je peux fumer? **2** darf ich rauchen? [. . . foo-m*ah*-ray]

snack 1 un casse-croûte [kahs-kroot] **2** ein Imbiß [*i*m-biss] **3** uno spuntino [spoon-t*ee*-noh]

snow 1 la neige [nej] **2** der Schnee [shnay] **3** la neve [n*a*y-vay]

KEY 1 FRENCH **2** GERMAN **3** ITALIAN

....

it's snowing 1 il neige **2** es schneit [ess shnite] **3** sta nevicando

it snowed all day 1 il a neigé toute la journée [eel ah nay-jay ...] **2** es hat den ganzen Tag geschneit [ess hat dayn gants-en tahg gheh-shn*i*te] **3** ha nevicato tutto il giorno [ah ...]

is it going to snow? 1 est-ce qu'il va neiger? **2** wird es Schnee geben? **3** nevicherà? [nay-vee-kay-r*a*h]

what are the snow conditions? 1 quelles sont les conditions d'enneigement? [... dōn-nej-mōn] **2** wie sind die Schneeverhältnisse? [vee zinnt dee shn*a*y-fair-helt-niss-uh] **3** come sono le condizioni della neve? [koh-may ... kon-dee-tzee-*oh*-nee ...]

deep powder 1 la poudreuse profonde [poo-drerz proh-fōnd] **2** tiefer Pulverschnee [teefer pōol-ver–] **3** la neve alta e farinosa

granular 1 granuleuse [grahnoo-lerz] **2** körnig [kurrn*i*k] **3** granulosa

spring 1 de printemps [der prān-tōn] **2** Papp- **3** primaverile [pree-ma-vay-*ree*-lay]

sticky 1 collante [koh-l*ō*nt] **2** Papp- **3** attaccaticcia [at-tak-ka-*tee*-chah]

breakable crust 1 cartonnée [kartoh-nay] **2** leicht verharscht [lysht fair-h*a*rsht] **3** con la crosta sottile [... sot-*tee*-lay]

snowball 1 une boule de neige [bool ...] **2** ein Schneeball [–bal] **3** una palla di neve

snow blindness 1 la cécité des neiges [saysee-tay ...] **2** die Schneeblindheit [shn*a*y-blinnt-hite] **3** l'accecamento da neve [ah-chay-ka-m*a*yn-toh ...]

snowcat 1 le ratrack **2** die Pistenwalze [–valts-uh] **3** il gatto delle nevi

snow-cuffs 1 des stop-tout [stop-too] **2** die Schneegamaschen [shn*a*y-gam-ash-en] **3** i manicotti da neve

snow drift 1 une congère [kōn-jair] **2** eine Schneeverwehung [shn*a*y-fair-vay-ōong] **3** un cumulo di neve [k*oo*-moo-loh ...]

snowed-in 1 bloqué par la neige [bloh-kay ...] **2** eingeschneit [ine-gheh-shn*i*te] **3** bloccato dalla neve

snowfall 1 une chute de neige [shoot der nej] **2** ein Schneefall [shnay-fall] **3** una nevicata [nay-vee-k*a*h-tah]

snowflake *1* un flocon de neige [floh-kōn der nej]
2 eine Schneeflocke [shn*a*y-flock-uh] *3* un fiocco di
neve [fee-*o*k-koh dee . . .]

snowman *1* un bonhomme de neige [boh-nom . . .]
2 ein Schneemann *3* un pupazzo di neve [poo-p*a*t-
tzoh dee . . .]

snowplough *(machine, turn)* *1* le chasse-neige
[shass-nej] *2* der Schneepflug [shn*a*y-pfloog] *3* lo
spazzaneve [spat-tzah-n*a*y-vay]

snow shoes *1* les raquettes [rah-ket] *2* die
Schneeschuhe [shn*a*y-shoo-uh] *3* le racchette da neve
[rak-k*a*yt-tay . . .]

snow storm *1* une tempête de neige [tōn-pait . . .]
2 ein Schneesturm [shn*a*y-shtoorm] *3* una
tormenta

soap *1* du savon [sah-vōn] *2* die Seife [zy-fuh] *3* il
sapone [sa-p*o*h-nay]

socks *1* les chaussettes [shoh-set] *2* die Socken
[zocken] *3* le calze [k*a*l-tzay]

Sofortreinigung fast service dry-cleaner's

soft *1* doux [doo]; *(not firm)* mou (molle) [moo (mol)]
2 weich [vysh] *3* morbido; *(not firm)* molle [–lay]
soft drink *1* une boisson sans alcool [bwah-sōn sōnz
al-kol] *2* ein alkoholfreies Getränk
[al-koh-h*o*le-fry-es gheh-tr*e*nk] *3* un analcolico
[a-nal-ko-lee-koh]

Soldes sale

sole *(of shoe)* *1* la semelle [ser-mel] *2* die Sohle [zoh-
luh] *3* la suola [sw*o*h-lah]; *(of ski)* *1* la semelle
2 die Laufffläche [lōwf-flesh-uh] *3* la soletta

some: some (any) bread *1* du pain [doo . . .] *2* Brot
3 del pane

some (any) beer *1* de la bière [der lah . . .] *2* Bier
[beer] *3* della birra

some (any) crisps *1* des chips [day . . .] *2* Chips
3 delle patatine [d*e*l-lay . . .]

can I have some? *1* est-ce que je peux en avoir?
[esker jer per ōnn ah-vwahr] *2* kann ich ein wenig
bekommen? [kan ish ine v*a*y-ni*k* buh-kommen] *3*
posso averne un po'? [. . . a-v*a*yr-nay . . .]

somebody *1* quelqu'un [kel-k*ā*n] *2* jemand [yay-
mannt] *3* qualcuno [kwal-k*oo*-noh]

---

something 1 quelque chose [kel-ker shohz] 2 etwas [et-vass] 3 qualcosa
  something to eat/drink 1 quelque chose à manger/boire 2 etwas zu essen/trinken 3 qualcosa da mangiare/bere

sometimes 1 quelquefois [kelker-fwah] 2 manchmal [mansh-mal] 3 a volte [ah vol-tay]

somewhere 1 quelque part [kel-ker par] 2 irgendwo [eer-ghent-voh] 3 da qualche parte [. . . kwal-kay par-tay]

son: my son 1 mon fils [mōn fees] 2 mein Sohn [mine zohn] 3 mio figlio [mee-oh feel-yoh]

song 1 une chanson [shōn-sōn] 2 ein Lied [leet] 3 una canzone [kan-tzoh-nay]

soon 1 bientôt [bee-yān-toh] 2 bald [balt] 3 presto
  as soon as possible 1 dès que possible [day ker poh-seebl] 2 so bald wie möglich [zoh balt vee murr-glish] 3 appena possibile [. . . pos-see-bee-lay]

sore: it's sore 1 ça fait mal [sah fay mal] 2 es tut weh [ess toot vay] 3 mi fa male [mee fah mah-lay]
  I have a sore throat 1 j'ai mal à la gorge [jay mal ah lah gohrj] 2 ich habe Halsweh [. . . halz-vay] 3 ho il mal di gola [o . . .]

sorry: I'm sorry 1 excusez-moi [exkoo-zay-mwah] 2 Entschuldigung! [ent-shool-digōong] 3 mi spiace [mee spee-ah-chay]

sortie de secours emergency exit

sosta vietata no waiting

sottopassaggio underpass

soup 1 de la soupe [soop] 2 die Suppe [zoopp-uh] 3 la zuppa [tzoop-pah]

south 1 au sud [oh sood] 2 nach Süden [nahk zōoden] 3 verso sud [. . . sood]

souvenir 1 un souvenir [soov-neer] 2 ein Souvenir 3 un souvenir

spanner 1 une clé anglaise [klay ōn-glayz] 2 ein Schraubenschlüssel [shrōw-ben-shlōosel] 3 una chiave inglese [kee-ah-vay een-glay-say]

spare: a spare . . . 1 un (une) . . . de rechange [. . . der rer-shōnj] 2 ein (eine, einen) . . . zum Wechseln [. . . vek-seln] 3 un altro(a) . . .

speak: do you speak English? 1 est-ce que vous parlez anglais? [esker voo par-lay ōn-glay] 2 sprechen Sie Englisch? [spreshen zee eng-glish] 3 parla l'inglese? [. . . leen-glay-say]

I don't speak French/German/Italian *1* je ne parle pas français [jer ner parl pah frōn-say] *2* ich spreche kein Deutsch [ish spresh-uh kine doytsh] *3* non parlo l'italiano

special *1* spécial [spays-yal] *2* besonderer [buh-zon-der-ruh] *3* speciale [spay-chah-lay]

spell: how do you spell it? *1* comment ça s'écrit? [koh-mōn sah say-kree] *2* wie schreibt man das? [vee shrypt man dass] *3* come lo si scrive? [koh-may loh see skree-vay]

spirits *1* des spiritueux [spee-ree-too-er] *2* die Spirituosen [shpirit-oo-ozen] *3* le bevande alcoliche [lay bay-van-day al-ko-lee-kay]

splint *1* une attelle [ah-tel] *2* eine Schiene [sheen-uh] *3* una stecca

spoon *1* une cuillère [kwee-yair] *2* ein Löffel [lurr-fel] *3* un cucchiaio [kook-yah-yoh]

sports shop *1* un magasin d'articles de sports [. . . dar-teekl der spor] *2* ein Sportgeschäft [shport–] *3* un negozio di articoli sportivi [. . . dee ar-tee-ko-lee spor-tee-vee]

sprain *1* une entorse [ōn-tohrs] *2* eine Verstauchung [fair-shtōwk-oong] *3* una storta

I've sprained my ankle *1* je me suis foulé la cheville [jer mer swee foo-lay . . .] *2* ich habe mir den Fuß verstaucht [ish hah-buh meer dayn fooss fair-shtōwkt] *3* ho preso una storta alla caviglia [o . . . ka-veel-yah]

spring *(season)* *1* le printemps [prān-tōn] *2* der Frühling [frōō-ling] *3* la primavera [pree-ma-veh-rah]

(metal) *1* un ressort [rer-sor] *2* eine Feder [fay-der] *3* una molla

square *(in town)* *1* la place [plahs] *2* der Platz *3* la piazza [pee-at-tzah]

(adjective) *1* carré [kah-ray] *2* quadratisch [kvadrah-tish] *3* quadrato [kwa-drah-toh]

stairs *1* les escaliers [eskahl-yay] *2* die Treppe [trep-uh] *3* le scale [lay skah-lay]

stamp: 2 stamps for Great Britain *1* deux timbres [tānbr] pour la Grande-Bretagne *2* zwei

Briefmarken nach Großbritannien [tsvy breef-
mark-en nah*k* . . .] **3** due francobolli per la Gran
Bretagna [doo-ay fran-ko-bol-lee payr . . .]
stance 1 la position [pohzees-yōn] **2** die Haltung
[hal-tœng] **3** la posizione [po-see-tzee-*oh*-nay]
star 1 une étoile [ay-twahl] **2** ein Stern [shtairn]
3 una stella
start *(verb)* **1** commencer [kohmōn-say] **2** anfangen
[anfang-en] **3** cominciare [koh-meen-ch*ah*-ray]
(of race) **1** le départ [day-pahr] **2** der Start [shtart]
3 la partenza
station 1 la gare [gar] **2** der Bahnhof [b*ah*n-hohff]
3 la stazione [sta-tzee-*oh*-nay]
(cable car) **1** la gare **2** die Station [shtats-ee-*o*hn]
3 la stazione
bottom station 1 la gare inférieure
[. . . *a*nfayr-yerr] **2** die Talstation [tahl–] **3** la
stazione a valle [. . . val-lay]
middle station 1 la gare intermédiaire [. . . *a*ntair-
mayd-yerr] **2** die Bergstation [bairk–] **3** la stazione
intermedia [. . .–m*e*h-dee-ah]
top station 1 la gare supérieure [. . . soopair-yerr]
2 die Gipfelstation [ghipfel–] **3** la stazione in cima
[. . . ch*ee*-mah]
stationnement *parking*
stay: stay there 1 restez là [res-tay lah] **2** bleiben Sie
dort [bly-ben zee . . .] **3** resti lì [. . . lee]
where are you staying? 1 où est-ce que vous
sejournez? [wesker voo sayjoor-nay] **2** wo wohnen Sie?
[voh wohnen zee] **3** dove alloggia? [d*oh*-vay al-l*oh*-jah]
steak 1 un steak [stek] **2** ein Steak [sht–] **3** una
bistecca [bees-t*a*yk-kah]
YOU MAY HEAR
1 à point [ah pw*a*n] *medium,* bien cuit [bee-y*a*n kwee]
well done, saignant [sayn-yōn] *rare* **2** halb durch [halp
dœrsh] *medium,* ganz durch [gants dœrsh] *well done,*
blutig [bloot*i*k] *rare* **3** poco cotta *medium,* cotta bene
[. . . b*a*y-nay] *well done,* al sangue [al s*a*n-gway] *rare*
steep *(slope)* **1** raide [red] **2** steil [shtile] **3** ripido
[r*ee*-pee-doh]
stem: stem turn 1 le (virage en) stem **2** der
Stemmbogen [sht*e*m-boh-ghen] **3** la curva cristiania
stem christie 1 le stem christie [. . . krees-tee] **2** der
Kristianiaschwung [–shv*œ*ng] **3** il cristi*a*nia

stem parallel 1 le stem parallèle [. . . pah-rah-lel]
2 der ausgestemmte Parallelschwung [ōwss-gheh-shtem-tuh para-la<u>y</u>l-shvŏong] **3** lo stile a sci paralleli [s<u>tee</u>-lay ah shee pa-ral-l<u>ay</u>-lee]

sterling: in sterling 1 en livres sterling [ōn leevr stair-ling] **2** in Pfund Sterling [in pfŏont . . .] **3** in lire sterline [een lee-ray stayr-<u>lee</u>-nay]

stick 1 le bâton [bah-tōn] **2** der Stock [shtock] **3** il bastone [bas-t<u>o</u>h-nay]; *see* **ski pole**

sticking plaster 1 un pansement adhésif [pōns-mōn ahday-zeef] **2** ein (Heft)pflaster [–pflass-ter] **3** un cerotto [chay-rot-toh]

still 1 encore [ōn-kor . . .] **2** immer noch [. . . no*k*] **3** ancora

keep still 1 restez tranquille [res-tay trōn-keel] **2** bewegen Sie sich nicht [buh-v<u>a</u>y-ghen zee zish nisht] **3** stia fermo

stockings 1 des bas [bah] **2** Strümpfe [shtr<u>ōō</u>mpf-uh] **3** le calze [k<u>a</u>l-tzay]

stolen: my wallet's been stolen 1 on m'a volé mon portefeuille [ōn mah voh-lay . . .] **2** man hat mir meine Brieftasche gestohlen [man hat meer mine-uh breef-tash-uh gheh-sht<u>o</u>le-en] **3** mi hanno rubato il portafoglio [mee a*n*-noh roo-b<u>a</u>h-toh . . .]

stomach 1 l'estomac [estoh-mah] **2** der Magen [m<u>a</u>h-ghen] **3** lo stomaco [sto-ma-koh]

an upset stomach 1 des maux de ventre [moh der vōntr] **2** Magenbeschwerden [m<u>a</u>h-ghen-buh-shvairden] **3** il mal di stomaco

stone 1 une pierre [pee-yair] **2** ein Stein [shtine] **3** una pietra [pee-<u>e</u>h-trah]

» *TRAVEL TIP: weight: 1 stone = 6.35 kg*

stop 1 s'arrêter [. . . ahray-tay] **2** anhalten **3** fermarsi

stop! 1 stop! **2** halt! [hallt] **3** alt!

stopwatch 1 le chronomètre [krohnoh-maitr] **2** die Stoppuhr [shtop-oor] **3** il cron<u>o</u>metro

storm 1 une tempête [tōn-pet] **2** ein Sturm [shtŏorm] **3** un temporale [taym-po-r<u>a</u>h-lay]

straight 1 droit [drwah] **2** gerade [gheh-r<u>a</u>h-duh] **3** diritto [dee-r<u>ee</u>t-toh]

(whisky etc) **1** sec **2** pur [poor] **3** liscio [l<u>ee</u>-shoh]

go straight on 1 continuez tout droit [kōntee-noo-ay

---

too drwah] **2** gehen Sie geradeaus [gay-en zee gheh-rah-duh-ōwss] **3** vada sempre diritto [. . . sem-pray . . .]

strained *(muscle)* **1** froissé [frwah-say] **2** gezerrt [gheh-tsairt] **3** teso [tay-zoh]

strange 1 bizarre **2** seltsam [zelt-zahm] **3** strano [strah-noh]

strap 1 une courroie [koo-rwah] **2** ein Riemen [reemen] **3** una cinghia [cheen-ghee-ah] *(on ski pole)* **1** la dragonne [drah-gon] **2** der Schlaufe [shlōwf-uh] **3** la cinghia d'impugnatura [. . . im-poon-yah-too-rah]

safety strap 1 l'attache de sécurité [ah-tash der saykoo-ree-tay] **2** der Fangriemen **3** la cinghia di sicurezza [. . . see-koo-rayt-tzah]

strawberries 1 des fraises [frayz] **2** Erdbeeren [airt-bair-en] **3** le fragole [frah-go-lay]

stream 1 le torrent [toh-rōn] **2** der Strom [shtrohm] **3** il torrente [–ren-tay]

street 1 une rue [roo] **2** eine Straße [shtrahss-uh] **3** una strada

stretcher 1 le brancard [brōn-kar] **2** die Tragbahre [trahg-bah-ruh] **3** la barella

strike 1 une grève [graiv] **2** ein Streik [shtrike] **3** uno sciopero [sho-pay-roh]

string 1 de la ficelle [fee-sel] **2** die Schnur [shnoor] **3** la corda

stroke: he's had a stroke 1 il a eu une attaque [. . . ah-tak] **2** er hatte einen Schlag(anfall) [air hattuh ine-en shlahg(an-fal)] **3** gli è venuto un attacco [lee eh vay-noo-toh . . .]

strong 1 fort [for] **2** stark [shtark] **3** forte [for-tay]

stuck 1 coincé [kwān-say] **2** eingeklemmt [ine-gheh-klemmt] **3** bloccato

student 1 un étudiant (une étudiante) [aytood-yōn] **2** ein Student (eine Studentin) [shtoo-dent] **3** uno studente (una studentessa) [stoo-den-tay]

sugar 1 du sucre [sookr] **2** der Zucker [tsocker] **3** lo zucchero [tzook-kay-roh]

suitcase 1 une valise [vah-leez] **2** ein Koffer **3** una valigia [va-lee-jah]

summer 1 l'été [ay-tay] **2** der Sommer [zommer] **3** l'estate [es-tah-tay]

sun *1* le soleil [soh-lay] *2* die Sonne [zonnuh] *3* il sole [soh-lay]

in the sun *1* au soleil *2* in der Sonne *3* al sole
sunbathe *1* se bronzer [ser brōn-zay] *2* sonnenbaden [zonnen-bah-den] *3* prendere il sole [pren-day-ray . . .]
sunburn *1* un coup de soleil [koo . . .] *2* der Sonnenbrand [–brannt] *3* la scottatura [skot-ta-too-rah]
sun cream (high protection) *1* la lotion solaire (à haute protection) [lohs-yōn soh-lair (à oht· proh-teks-yōn)] *2* die Sonnencreme (mit hohem Schutzfaktor) [zonnen-kray-muh (mit hoh-em shoots–)] *3* la crema solare (ad alta protezione) [kreh-mah so-lah-ray (ad al-tah pro-teh-tzee-oh-nay)]
sunglasses *1* des lunettes de soleil [loo-net . . .] *2* die Sonnenbrille [–brill-uh] *3* gli occhiali da sole [lee ok-yah-lee . . .]
» *TRAVEL TIP: beware of fierce U.V. light, even in overcast or foggy conditions*
Sunday *1* dimanche [dee-mōnsh] *2* Sonntag [zonn-tahg] *3* domenica [doh-may-nee-kah]
sunny: it's sunny *1* il y a du soleil *2* die Sonne scheint [dee zonn-uh shinet] *3* c'è sole [cheh soh-lay]
sunshine: hours of sunshine *1* l'ensoleillement [ōnsoh-ley-mōn] *2* die Stunden Sonnenschein *3* le ore di sole [oh-ray dee soh-lay]
suonare please ring
supermarket *1* un supermarché [soopair-mar-shay] *2* ein Supermarkt [zooper–] *3* un supermercato
supper *1* le souper [soo-pay] *2* das Abendessen [ah-bent–] *3* la cena [chay-nah]
sure: I'm not sure *1* je ne suis pas sûr [. . . soor] *2* ich bin nicht sicher [ish bin nisht zisher] *3* non sono sicuro [. . . see-koo-roh]
surname *1* le nom de famille [nōn der fah-mee] *2* der Zuname [tsoo-nah-muh] *3* il cognome [kon-yoh-may]
sweater *1* un pull [pool] *2* ein Pullover *3* un maglione [mal-yoh-nay]
sweet *(sugary)* *1* sucré [soo-kray] *2* süß [zōoss] *3* dolce [dol-chay]
(dessert) *1* un dessert [day-sair] *2* ein Nachtisch [nahk-tish] *3* un dolce

---

KEY *1* FRENCH *2* GERMAN *3* ITALIAN

swimming costume *1* un maillot de bain [mah-yoh der
bañ] *2* ein Badeanzug [bah-duh-an-tsoog] *3* un
costume da bagno [kos-too-may dah ban-yoh]

swimming pool *1* une piscine [pee-seen] *2* ein
Schwimmbad [shvimm-baht] *3* una piscina [pee-
shee-nah]

swimming trunks *1* un slip de bain *2* die Badehose
[bah-duh-hoh-zuh] *3* il costume [kos-too-may]

swing: basic swing *1* le virage élémentaire [vee-rahj
aylay-mōn-tair] *2* der Grundschwung [groont-
shvoong] *3* il passo-base [–bah-zay]

Swiss *1* suisse [swees] *2* Schweizer [shvy-tser]; *(man)*
Schweizer; *(woman)* Schweizerin *3* svizzero [sveet-
tzay-roh]

switch *1* l'interrupteur [āntay-roop-terr] *2* der
Schalter [shall-ter] *3* l'interruttore [een-ter-root-
toh-ray]

  to switch . . . on/off *1* allumer/éteindre . . .
[ahloo-may/ay-tāndr] *2* . . . anschalten/abschalten
[an-shall-ten/app–] *3* accendere/spegnere . . .
[a-chen-day-ray/spen-yay-ray]

Switzerland *1* la Suisse [swees] *2* die Schweiz
[shvites] *3* la Svizzera [sveet-tzay-rah]

tabac-journaux *tobacconist and newsagent*

table *1* une table [tahbl] *2* ein Tisch [tish] *3* una
tavola [tah-vo-lah]

tail-hopping *1* la ruade [roo-ad] *2* das Hüpfen mit den
Ski-Enden [hoop-fen mit dayn shee-enden]
3 il salto con le code degli sci [sal-toh kon lay ko-day
day-lee shee]

take *1* prendre [prōndr] *2* nehmen [nay-men]
3 prendere [pren-day-ray]
  (drive etc) *1* emmener [ōnm-nay] *2* bringen
3 portare [–tah-ray]

talcum powder *1* du talc *2* der (Körper)puder
[(kurr-per)pooder] *3* il borotalco

talk *1* parler [par-lay] *2* sprechen [shpreshen]
3 parlare [par-lah-ray]

tall *1* grand [grōn] *2* groß [grohss] *3* alto

tampons *1* des tampons hygiéniques [tōn-pōn eej-yay-
neek] *2* Tampons *3* i tamponi [ee tam-poh-nee]

tan *1* le bronzage [brōn-zahj] *2* die Bräune [broy-nuh]
3 l'abbronzatura [ab-bron-tza-too-rah]

....

tap 1 le robinet [rohbee-nay] **2** der Hahn **3** il rubinetto [roo-bee-naytoh]

taste (of food etc) **1** le goût [goo] **2** der Geschmack [gehshmack] **3** il sapore [sa-poh-ray]

can I taste it? 1 est-ce que je peux goûter? [esker jer per goo-tay] **2** kann ich es versuchen? [kan ish ess fair-zooken] **3** posso assaggiare? [. . . as-sa-jah-ray]

taxi 1 un taxi [tah-xee] **2** ein Taxi **3** un tassì [tas-see]

tea 1 le thé [tay] **2** der Tee [tay] **3** il tè [teh]

a cup of tea 1 un thé **2** eine Tasse Tee [ine-uh tass-uh . . .] **3** un tè

YOU MAY THEN HEAR . . .

1 un thé citron [tay see-trōn] lemon tea, un thé lait [tay lay] tea with milk **2** mit Zitrone? with lemon?, mit Milch? with milk? **3** un tè al limone [. . . lee-moh-nay], un tè al latte [. . . lat-tay]

teach: could you teach me . . .? 1 est-ce que vous pouvez m'apprendre . . .? [. . . mah-prōndr] **2** könnten Sie mir . . . beibringen? [kurrn-ten zee meer by-bring-en] **3** mi può insegnare . . .? [mee pwoh een-sayn-yah-ray]

teacher 1 le professeur [prohfay-serr] **2** der Lehrer (die Lehrerin) [lair-uh] **3** l'insegnante [een-sayn-yan-tay]

teinturerie dry cleaner's

telecabine = gondola

teleferique = cable car

telegram 1 un télégramme [taylay-gram] **2** ein Telegramm **3** un telegramma

telephone 1 le téléphone [taylay-fon] **2** das Telefon [−fohn] **3** il telefono [tay-leh-fo-noh]

can I make a phone call? 1 est-ce que je peux téléphoner? [. . . taylay-foh-nay] **2** kann ich hier telefonieren? [. . . heer tele-foneer-en] **3** posso fare una telefonata? [. . . fah-ray . . .−nah-tah]

can I speak to . . .? 1 est-ce que je peux parler à . . .? [esker jer per pahr-lay ah] **2** kann ich mit . . . sprechen? [. . . shpreshen] **3** posso parlare con . . .? [. . . par-lah-ray . . .]

could you get this number for me? 1 est-ce que vous pouvez m'appeler ce numéro? [. . . map-lay ser noomay-roh] **2** könnten Sie diese Nummer für mich

KEY 1 FRENCH **2** GERMAN **3** ITALIAN

wählen? [kurrn-ten zee deez-uh noomer foor mish vay-len] **3** mi può chiamare questo numero? [mee pwoh kee-ah-*mah*-ray kwes-toh noo-may-roh]

extension ... **1** poste numéro ... [pohst noomay-roh] **2** Apparat ... **3** interno ...

telephone directory 1 l'annuaire du téléphone [ahnoo-air ...] **2** das Telefonbuch [–book] **3** l'elenco telefonico [... tay-lay-fo-nee-koh]

YOU MAY HEAR ...

1 c'est un faux numéro *sorry wrong number*
la ligne est occupée *the line is engaged*
ça ne répond pas *there is no answer*
ne quittez pas, je vous passe ... *hold the line, I'm putting you through to ...*

2 falsch verbunden *sorry wrong number*
besetzt *the line is engaged*
es meldet sich niemand *there is no answer*
Augenblick, bleiben Sie am Apparat, ich verbinde Sie mit ... *hold the line, I'm putting you through to ...*

3 ha sbagliato numero *sorry wrong number*
è occupata la linea *the line is engaged*
non risponde nessuno *there is no answer*
resti in linea, le passo ... *hold the line, I'm putting you through to ...*

» *TRAVEL TIP:* **1** *you can phone from most cafés; in France, you may have to buy a 'jeton'* [jer-tōn] *(token) which you insert in the pay phone* **3** *for public phones in Italy you'll need tokens (gettoni); buy gettoni at tobacconists, bars, post offices, newsagents*

television 1 la télévision [taylay-veez-yōn] **2** das Fernsehen [fairn-zay-en] **3** la televisione [tay-lay-vee-see-oh-nay]

tell: could you tell me where ...? 1 est-ce que vous pouvez me dire où ...? [esker voo poo-vay mer deer oo] **2** könnten Sie mir sagen, wo ...? [kurrn-ten zee meer zagen voh] **3** mi può dire dove ...? [mee pwoh *dee*-ray doh-vay]

temperature 1 la température [tōnpay-rah-toor] **2** die Temperatur [–toor] **3** la temperatura [–too-rah]

what's the temperature today? 1 il fait combien aujourd'hui? [eel fay kōnb-yān ...] **2** wieviel Grad haben wir heute? [vee-feel graht hah-ben veer hoy-tuh] **3** quanti gradi ci sono oggi? [... chee sohnoh o-jee]

it's 5 below freezing *1* il fait moins cinq [eel fay mwā...] *2* es ist fünf Grad unter Null [ess isst fōōnf graht ōonter nool]
3 sono 5 gradi sotto zero [...ch*ee*n-kway gr*ah*-dee...tz*ay*-roh]

terrible *1* affreux [ah-frer] *2* schrecklich [shrecklish] *3* terribile [ter-r*ee*-bee-lay]

terrific *1* fantastique [fōntahs-teek] *2* sagenhaft [z*ah*-ghen-haft] *3* magnifico [man-y*ee*-fee-koh]

than: bigger than... *1* plus grand que... [...ker] *2* größer als... [grurrser alz] *3* più grande di... [pew gr*an*-day dee]

thanks, thank you *1* merci [mair-see] *2* danke(schön) [dank-uh(shurrn]] *3* grazie [gr*ah*-tzee-ay]
no thanks *1* non merci [nōn...] *2* nein, danke [nine...] *3* no, grazie
thank you very much *1* merci beaucoup [...boh-koo] *2* vielen Dank [feelen...] *3* grazie tante [...t*an*-tay]
YOU MAY THEN HEAR...
1 je vous en prie *2* bitte schön, bitte sehr *3* prego
you're welcome

that *1* ce(cette) [ser, set] *2* dieser, diese, dieses [deez-er, deez-uh, deez-es] *3* quello(a) [kw*ay*l-loh(ah)]
that one *1* celui-là (celle-là) [serlwee-lah, sel-lah] *2* das da *3* quello(a)
and that? *1* et ça? [ay sah] *2* und das? *3* e quello?
that's... *1* c'est... [say] *2* das ist... *3* è...[eh]
I think that... *1* je crois que...[...ker] *2* ich glaube, daß...[ish glōw-buh dass] *3* penso che...[...kay]

thaw: it's thawing already *1* la neige commence déjà à fondre [lah nej koh-mōns day-jah ah fōndr]
2 es ist schon Tauwetter [ess isst shohn tōw-vetter]
3 è già iniziato il disgelo [eh jah ee-nee-tzee-*ah*-toh eel dees-j*ay*-loh]

the *1* le (l'); la (l') [ler, lah] *2* der, das; die [dair, dass, dee] *3* il (lo); la [...lah]
(plural) *1* les [lay] *2* die *3* i (gli); le [ee (lee), lay]
a, an *1* un; une [ān, oon] *2* ein; eine [ine, ine-uh] *3* un (uno); una [oon, *oo*-nah]

their *see* **my**

KEY *1* FRENCH *2* GERMAN *3* ITALIAN

them *1* eux (elles) [er, el] *2* sie [zee] *3* loro
  I know them *1* je les connais [. . . lay . . .] *2* ich
  kenne sie [. . . zee] *3* li conosco [lee . . .]
  give them . . . *1* donnez-leur . . . [. . . lerr] *2* geben
  Sie ihnen . . . [. . . ee-nen] *3* dia loro . . .
there *1* là [lah] *2* dort *3* lì [lee]
  there is/there are . . . *1* il y a . . . [eel-yah] *2* es
  gibt . . . [ess gheept] *3* c'è/ci sono . . . [cheh/chee
  soh-noh]
  there isn't a/there aren't any . . . *1* il n'y a pas de . . .
  [eeln-yah pah der] *2* es gibt kein(e) . . . *3* non c'è
  un/non ci sono . . .
  is there a . . .? *1* est-ce qu'il y a un . . .?
  [eskeel-yah . . .] *2* gibt es ein . . .? *3* c'è un . . .?
  there you are *(giving something)* *1* voilà
  [vwah-lah] *2* hier, bitte! [heer bittuh] *3* ecco
thermal underwear *1* des sous-vêtements en
  thermolactyl [soo-vet-mōn ōn t–] *2* die
  Ski-Unterwäsche [shee-oonter-vesh-uh] *3* la
  biancheria termica [bee-an-kay-ree-ah tayr-mee-kah]
these *1* ces [say] *2* diese [deez-uh] *3* questi(e)
  [kways-tee(ay)]
  (these ones) *1* ceux-ci (celles-ci) [ser-see, sel-see]
  2 diese *3* questi(e)
they *1* ils (elles) [eel, el] *2* sie [zee] *3* essi [es-see]
thick *1* épais [ay-pay] *2* dick *3* spesso
thigh *1* la cuisse [kwees] *2* der Oberschenkel [–sh–]
  3 la coscia [koh-shah]
thin *1* mince [māns] *2* dünn [dōonn] *3* sottile [sot-tee-
  lay]
thing *1* une chose [shohz] *2* ein Ding *3* una cosa
think: I think so *1* je crois [jer krwah] *2* ich denke
  schon [ish denk-uh shohn] *3* penso di sì [pen-soh dee
  see]
third *1* troisième [trwahz-yem] *2* dritte [drit-uh]
  3 terzo [tayr-tzoh]
thirsty: I'm thirsty *1* j'ai soif [jay swahf] *2* ich habe
  Durst [ish hah-buh dōorst] *3* ho sete [o say-tay]
this *1* ce (cette) [ser, set] *2* dieser, diese, dieses [deez-er,
  deez-uh, deez-es] *3* questo(a) [kwes-toh]
  and this? *1* et ça? [ay sah] *2* und das? *3* e questo?
  this one *1* celui-ci (celle-ci) [serlwee-see, sel-see]
  2 das da *3* questo
  this is . . . *1* c'est . . . [say] *2* das ist . . . *3* questo è . . .

those *1* ces [say] *2* diese . . . (da) [deez-uh . . . (dah)]
3 quelli(e) [kwayl-lee(lay)]
(those ones) *1* ceux-ci (celles-ci) [ser-see, sel-see]
2 diese (da) *3* quelli

thread *1* du fil [feel] *2* der Faden [fah-den] *3* il filo
[fee-loh]

three *1* trois [trwah] *2* drei [dry] *3* tre [tray]

throat *1* la gorge [gorj] *2* der Hals [halz] *3* la gola
[goh-lah]
  throat lozenges *1* des pastilles pour la gorge
  [pas-tee . . .] *2* die Halstabletten *3* le pasticche per la
  gola [pas-teek-kay . . .]

through *1* à travers [ah trah-vair] *2* durch [doorsh]
3 attraverso

throw *1* lancer [lon-say] *2* werfen [vair-fen] *3* gettare
[jet-tah-ray]

thumb *1* le pouce [poos] *2* der Daumen [dow-men] *3* il
pollice [pol-lee-chay]

thunder *1* le tonnerre [toh-nair] *2* der Donner *3* il
tuono [twoh-noh]
  thunderstorm *1* un orage [oh-rahj] *2* ein Gewitter
  [geh-vitter] *3* un temporale [–rah-lay]

Thursday *1* jeudi [jer-dee] *2* Donnerstag [donners-
tahg] *3* giovedì [jo-vay-dee]

ticket *1* un billet [bee-yay] *2* eine Fahrkarte [–kar-
tuh]; *(cinema)* eine Eintrittskarte [ine-trits–]
3 un biglietto [beel-yet-toh]
(skipass) *1* une carte d'abonnement [kart
dahbon-mon] *2* eine Dauerkarte [–kart-uh] *3* un
biglietto d'abbonamento
  day ticket *1* une carte journalière
  [. . .joornal-yair] *2* eine Tageskarte [tahges–] *3* un
  (biglietto) giornaliero [. . .jor-nal-yeh-roh]
  3-day ticket *1* une carte de trois jours *2* eine
  Dreitageskarte [dry–] *3* un biglietto a tre giorni
  a weekly ticket *1* une carte d'une semaine *2* eine
  Wochenkarte *3* un biglietto settimanale [–nah-lay]
  10-run ticket *1* une carte de 10 montées
  [. . .mon-tay] *2* eine Zehnerkarte [tsay-ner–] *3* un
  biglietto a 10 salite [. . .sah-lee-tay]

» *TRAVEL TIP: in many modern resorts you need to have a
photograph for your lift ticket. Passport-type will do*

KEY *1* FRENCH *2* GERMAN *3* ITALIAN

tie *(necktie)* **1** une cravate [krah-vat] **2** eine Krawatte [krav-at-uh] **3** una cravatta

tight *(clothes):* **too tight 1** trop juste [. . . joost] **2** zu eng [tsoo . . .] **3** troppo stretto

tights 1 des collants [koh-lōn] **2** die Strumpfhose [shtroompf-hoh-zuh] **3** il collant [ko-long]

time: I haven't got time 1 je n'ai pas le temps [. . . ler tōn] **2** ich habe keine Zeit [ish hah-buh kine-uh tsite] **3** non ho tempo

this/last/next time 1 cette/la dernière/la prochaine fois [. . . fwah] **2** dieses/letztes/nächstes Mal **3** questa volta/la volta scorsa/la prossima volta

3 times 1 trois fois **2** dreimal [dry-mahl] **3** tre volte [tray vol-tay]

have a good time! 1 amusez-vous bien! [ahmoo-zay-voo be-yān] **2** viel Vergnügen! [feel fair-guh-nōō-ghen] **3** si diverta! [see dee-ver-tah] *see "How to tell the time", p 128*

timekeeper 1 le chronométreur **2** der Stopper **3** il cronometrista

timetable 1 un horaire [oh-rair] **2** ein Fahrplan [–plahn] **3** un orario [o-rah-ree-oh]

tin 1 une boîte [bwaht] **2** eine Dose [doh-zuh] **3** un barattolo [ba-rat-toh-loh]

tin-opener 1 un ouvre-boîte [oovrer-bwaht] **2** ein Dosenöffner [doh-zen-urrf-ner] **3** un apriscatole [a-pree-skah-toh-lay]

tip *(gratuity)* **1** le pourboire [poor-bwahr] **2** das Trinkgeld [–gelt] **3** la mancia [man-chah] *(of ski)* **1** la pointe [pwānt] **2** die Skispitze [shee-shpits-uh] **3** la punta [poon-tah]

tired: I'm tired 1 je suis fatigué [. . . fahtee-gay] **2** ich bin müde [ish bin mōō-duh] **3** sono stanco

tirez pull

tissues 1 des Kleenex **2** Papiertaschentücher [pa-peer-tashen-tōōk-er] **3** i fazzolettini di carta [ee fat-tzoh-let-tee-nee dee . . .]

to 1 à [ah] **2** zu [tsoo] **3** a [ah]

to England 1 en [ōn] Angleterre **2** nach England [nahk . . .] **3** in Inghilterra [een een-gheel-ter-rah]

toast 1 un toast [tohst] **2** ein Toast **3** un toast; *(drinking)* un brindisi [breen-dee-see]

tobacco 1 du tabac [tah-bah] **2** der Tabak **3** il tabacco

toboggan 1 une luge [looj] **2** ein Rodelschlitten

[roh-del-shlit-en] **3** un toboga

toboganning 1 la luge **2** das Schlittenfahren **3** il toboga

toboggan run 1 la piste de luge **2** die Schlittenbahn **3** la pista del toboga

today 1 aujourd'hui [ohjoor-dwee] **2** heute [hoy-tuh] **3** oggi [o-jee]

toe 1 le doigt de pied [dwah der pee-yay] **2** die Zehe [tsay-uh] **3** il dito del piede [dee-toh del pee-eh-day] *see also* **bindings**

together 1 ensemble [ōn-sōnbl] **2** zusammen [tsoo-zammen] **3** insieme [een-see-ay-may]

toilet: where are the toilets? 1 où sont les toilettes? [oo sōn lay twah-let] **2** wo sind die Toiletten? [voh zinnt dee twa-letten] **3** dove sono le toilette? [doh-vay soh-noh lay twa-let]

toilet paper 1 le papier hygiénique [pahp-yay eej-yay-neek] **2** das Toilettenpapier [–pa-peer] **3** la carta igienica [kar-tah ee-jay-nee-kah]

tomato 1 une tomate [toh-mat] **2** eine Tomate [tomah-tuh] **3** un pomodoro

tomato juice 1 un jus [joo] de tomate **2** ein Tomatensaft [–zaft] **3** un succo di pomodoro [sook-koh dee . . .]

tomorrow 1 demain [der-mān] **2** morgen [mor-ghen] **3** domani [doh-mah-nee]

tomorrow morning/afternoon/evening 1 demain matin/après-midi/soir **2** morgen früh/nachmittag/abend **3** domattina/domani pomeriggio/domani sera

the day after tomorrow 1 après-demain [ahpray-der-mān] **2** übermorgen [ōber–] **3** dopodomani

tongue 1 la langue [lōng] **2** die Zunge [tsoong-uh] **3** la lingua [leen-gwah]

tonic *(water)* **1** un schweppes [shveps] **2** das Tonic(water) **3** l'acqua brillante [. . . breel-lan-tay]

tonight 1 ce soir [ser swahr] **2** heute abend [hoy-tuh ah-bent] **3** stasera [stah-say-rah]

too 1 trop [troh] **2** zu [tsoo] **3** troppo
too much (. . .) 1 trop (de . . .) **2** zuviel (. . .) [tsoo-feel] **3** troppo (. . .)
too many (. . .) 1 trop (de . . .) **2** zuviele (. . .) **3** troppi(e) (. . .)

KEY *1* FRENCH *2* GERMAN *3* ITALIAN

tooth *1* une dent [dōn] *2* ein Zahn [tsahn] *3* un dente [den-tay]

  I've got toothache *1* j'ai mal aux dents [jay mal oh dōn] *2* ich habe Zahnweh [ish hah-buh –vay] *3* ho mal di denti [o . . . dee den-tee]

  toothbrush *1* une brosse à dents [brohs ah dōn] *2* eine Zahnbürste [–bōorst-uh] *3* uno spazzolino da denti [spat-tzo-lee-noh . . .]

  toothpaste *1* du dentifrice [dōntee-frees] *2* die Zahnpasta *3* il dentifricio [den-tee-free-choh]

top *(of mountain)* *1* le sommet [soh-may] *2* der Gipfel [ghipfel] *3* la cima [chee-mah]

  on top of *1* sur [soor] *2* auf [ōwf] *3* sopra

  on the top floor *1* au dernier étage [oh dairn-yair ay-tahj] *2* im obersten Stock [. . . shtock] *3* all'ultimo piano [al-lool-tee-moh pee-ah-noh]

  at the top *1* en haut [ōn oh] *2* oben [oh-ben] *3* in cima

torch *1* une lampe de poche [lōnp der posh] *2* eine Taschenlampe [tashen-lamp-uh] *3* una lampadina tascabile [lam-pah-dee-nah tas-kah-bee-lay]

torn *1* déchiré [dayshee-ray] *2* zerrissen [tsair-riss-en] *3* strappato [–pah-toh]

total *1* le total [toh-tal] *2* die Endsumme [ent-zoom-uh] *3* il totale [toh-tah-lay]

touring *1* la randonnée [rōndoh-nay] *2* Bergtouren *3* le escursioni [es-koor-see-oh-nee]

tourist office *1* le syndicat d'initiative [sāndee-kah deenees-yah-teev] *2* das Fremdenverkehrsbüro [frem-den-fair-kairs-bōo-roh] *3* l'ufficio turistico [oof-fee-choh too-rees-tee-koh]

tow *1* le téléski [taylay-skee] *2* der Schlepplift [shlepp–] *3* il traino [trah-ee-noh]

  can you give me a tow? *1* est-ce que vous pouvez me remorquer? [. . . mer rermohr-kay] *2* könnten Sie mich abschleppen? [kurrn-ten zee mish app-sh–] *3* mi può rimorchiare? [mee pwoh ree-mor-kee-ah-ray]

towel *1* une serviette [sairv-yet] *2* ein Handtuch [hant-took] *3* un asciugamano [a-shoo-ga-mah-noh]

town *1* la ville [veel] *2* die Stadt [shtat] *3* la città [cheet-tah]

track *1* la trace [trahs] *2* die Spur [shpoor] *3* le tracce [trah-chay]

trail *1* la piste [peest] *2* die Loipe [loy-puh] *3* la pista
ski trail *1* la piste de fond [. . . der fon] *2* die
Langlauf-Loipe [langlōwf–]
train *1* le train [tran] *2* der Zug [tsoog] *3* il treno
[tre̅h-noh]
translate *1* traduire [trah-dweer] *2* übersetzen
[ōober-zet-sen] *3* tradurre [tra-door-ray]
travel agent's *1* l'agence de voyage [ah-jons der
vwah-yahj] *2* das Reisebüro [ry-zuh-bo̅o̅-roh]
3 l'agenzia di viaggi [a-jen-tzee-ah dee vee-ah-jee]
traveller's cheque *1* un chèque de voyage [shek der
vwah-yahj] *2* ein Travellerscheck *3* un traveller's
cheque
traverse *(verb)* *1* traverser [trahvair-say]
2 traversieren [travairs-ee-ren]
3 traversare [–sah-ray]
tree *1* un arbre [ahrbr] *2* ein Baum [bo̅wm] *3* un
albero [al-bay-roh]
treeline *1* la limite des arbres [lee-meet dayz
ahrbr] *2* die Baumgrenze [bo̅wm-grents-uh] *3* la
linea boschiva [lee-nay-ah bos-kee-vah]
trip *1* un voyage [vwah-yahj] *2* eine Reise
[ry-zuh] *3* un viaggio [vee-ah-joh]
(short tour, drive) *1* une excursion [exkoors-yon]
2 ein Ausflug [o̅wss-floog] *3* una gita [jee-tah]
trouble: I'm having trouble with . . . *1* j'ai des ennuis
avec . . . [jay dayz onn-wee ah-vek] *2* ich habe
Schwierigkeiten mit . . . [ish hah-buh shvee-rik-kite-
en . . .] *3* ho delle noie con . . . [o del-lay no-yay . . .]
trousers *1* un pantalon [pontah-lon] *2* die Hose
[hoh-zuh] *3* i pantaloni
true *1* vrai [vray] *2* wahr [vahr] *3* vero [vay-roh]
try *1* essayer [essay-yay] *2* versuchen [fair-zook-en]
3 provare [pro-vah-ray]
can I try it on? *1* est-ce que je peux l'essayer? *2* kann
ich es anprobieren? [kan ish ess an-proh-bee-ren]
3 posso provarlo?
Tuesday *1* mardi [mahr-dee] *2* Dienstag [deens-
tahg] *3* martedì [mar-tay-dee]
tuition *see* lesson, ski school
tunnel *1* un tunnel [too-nel] *2* ein Tunnel *3* una
galleria [gal-lay-ree-ah]

KEY *1* FRENCH *2* GERMAN *3* ITALIAN

turn *(verb)* **1** tourner [toor-nay] **2** abbiegen [app-bee-ghen]; *(on skis)* wenden [ven-den] **3** girare [jee-rah-ray]
(noun) **1** un virage [vee-rahj] **2** eine Wende [ven-duh] **3** una curva [koor-vah], una virata [vee-rah-tah]

jet turn 1 le virage 'jet' [. . . djet] **2** der Jet-Schwung [–shvoong] **3** la curva a sci uniti [. . . shee oo-nee-tee]

kick turn 1 la conversion [konvairs-yon] **2** die Kehre [kay-ruh] **3** il dietro-front [dee-ay-troh . . .]

parallel turn 1 le virage avec skis parallèles **2** der Parallelschwung [para-layl-shvoong] **3** la curva a sci paralleli [. . . shee pa-ral-lay-lee]

skating turn 1 le pas de patineur [pah der pahtee-nerr] **2** der Schlittschuhschritt [shlit-shoo–] **3** la curva a passo-pattinaggio [. .–pat-tee-nah-joh]

T.V.A. [tay-vay-ah] *VAT*

twice 1 deux fois [der fwah] **2** zweimal [tsvy-mahl] **3** due volte [doo-ay vol-tay]

twin beds 1 des lits jumeaux [lee joo-moh] **2** zwei (Einzel)betten [tsvy (ine-tsel)–] **3** due letti [doo-ay let-tee]

twisted *(rope)* **1** entortillé [ontor-tee-yay] **2** zusammengedreht [tsoo-zammen-gheh-drayt] **3** ritorto; *(ankle)* **1** tordu [tor-doo] **2** verrenkt [fair-renkt] **3** storto

two 1 deux [der] **2** zwei [tsvy] **3** due [doo-ay]

typical 1 typique [tee-peek] **2** typisch [too-pish] **3** tipico [tee-pee-koh]

tyre 1 un pneu [pner] **2** ein Reifen [ry-fen] **3** una gomma

ulcer 1 un ulcère [ool-sair] **2** ein Geschwür [gheh-shvoor] **3** un'ulcera [ool-chay-rah]

umbrella 1 un parapluie [pahrah-plwee] **2** ein Schirm [sheerm] **3** un ombrello

unconscious 1 sans connaissance [son kohnay-sons] **2** bewußtlos [buh-voost-lohs] **3** inconscio [een-kon-shoh]

under 1 sous [soo] **2** unter [oonter] **3** sotto

underdone 1 pas assez cuit [pahz ah-say kwee] **2** nicht gar [nisht . . .] **3** poco cotto

understand: I don't understand 1 je ne comprends pas [jer ner kon-pron pah] **2** das verstehe ich nicht [dass fair-shtay-uh . . .] **3** non capisco
  do you understand? 1 est-ce que vous comprenez?

[. . . kōnprer-nay] **2** verstehen Sie? [fair-sht*a*y-en zee] **3** capisce? [ka-p*ee*-shay]

undo 1 défaire [day-fair] **2** aufmachen [ōwf-mah-*k*en] **3** disfare [dees-f*ah*-ray]

United States 1 les Etats-Unis [aytahz-oo-nee] **2** die Vereinigten Staaten [dee fair-*i*ne-i*k*-ten shtah-ten] **3** gli Stati Uniti [lee st*ah*-tee oo-n*ee*-tee]

until 1 jusqu'à [joos-kah] **2** bis **3** fino a [*fee*-noh ah]
  not until . . . 1 pas avant . . . [pahz ah-vōn] **2** nicht vor . . . [nisht for] **3** non prima di . . . [. . . pr*ee*-mah dee]

up 1 en haut [ōn oh] **2** oben [oh-ben] **3** su [soo]
  he's not up yet 1 il n'est pas encore levé [eel nay pahz ōn-kor ler-vay] **2** er ist noch nicht auf [air isst no*k* nisht ōwf] **3** non è ancora alzato [non eh an-k*oh*-rah al-tz*ah*-toh]

uphill 1 en amont [ōnn ah-mōn] **2** bergauf [bairk-ōwf] **3** a monte [ah mon-tay]
  uphill ski 1 le ski amont **2** der Bergski [b*air*k-shee] **3** lo sci a monte [shee . . .]

upside down 1 à l'envers [ah lōn-vair] **2** verkehrt herum [fair-k*air*t hair-*oo*m] **3** alla rovescia [. . . ro-v*eh*-shah]

upstairs 1 en haut [ōn oh] **2** oben [oh-ben] **3** di sopra [dee . . .]

urgent 1 urgent [oor-jōn] **2** dringend [dring-ent] **3** urgente [oor-jen-tay]

us 1 nous [noo] **2** uns [oonts] **3** noi [n*o*-ee]
  could you help us? 1 est-ce que vous pouvez nous aider? **2** könnten Sie uns helfen? **3** può aiutarci? [pwoh ah-yoo-t*a*r-chee]

use 1 utiliser [ootee-lee-zay] **2** benutzen [buh-n*oo*t-sen] **3** adoperare [–r*ah*-ray]

useful 1 utile [oo-teel] **2** nützlich [nōōts-lish] **3** utile [*oo*-tee-lay]

vacuum flask 1 un thermos [tair-mohs] **2** eine Thermosflasche [tairmos-flash-uh] **3** un thermos [t*ay*r-mos]

valanghe avalanches

valid: how long is it valid for? 1 c'est valable combien de temps? [say vah-lahbl kōnb-yān der tōn] **2** wie lange gilt es? [vee lang-uh ghilt ess] **3** fino a quando è

---

valido? [*fee*-noh ah . . . eh *vah*-lee-doh]

valley *1* la vallée [vah-lay] *2* das Tal [tahl] *3* la valle [v*a*l-lay]

vegetables *1* des légumes [lay-goom] *2* Gemüse [gheh-m͞oo-zuh] *3* le verdure [vayr-d*oo*-ray]

vegetarian *1* végétarien [vayjay-tahr-y*ā*n] *2* Vegetarier [vay-gheh-t*a*h-ree-er] *3* vegetariano [vay-jay-ta-ree-*ah*-noh]

verboten forbidden

vertigo: I suffer from vertigo *1* j'ai le vertige [. . . vair-*teej*] *2* mir wird leicht schwindelig [meer veert lysht shvindeli*k*] *3* soffro di vertigine [. . . vayr-*tee*-jee-nay]

very *1* très [tray] *2* sehr [zair] *3* molto
very much *1* beaucoup [boh-koo] *2* sehr *3* molto

vest *1* un maillot [mah-yoh] *2* ein Unterhemd [*oo*nter-hemmt] *3* una maglia (alla pelle) [m*a*l-yah (*a*l-lah p*e*l-lay)]

vietato fumare no smoking

view *1* la vue [voo] *2* die Aussicht [*ō*wss-zisht] *3* la vista

village *1* le village [vee-lahj] *2* das Dorf *3* il villaggio [veel-l*a*h-joh]

vinegar *1* du vinaigre [vee-naigr] *2* der Essig [–i*k*] *3* l'aceto [ah-ch*a*y-toh]

violent *1* violent [vee-yoh-l*ō*n] *2* heftig [–i*k*] *3* violento [vee-o-l*e*n-toh]

virages bends

visibility *1* la visibilité [veezee-bee-lee-tay] *2* die Sicht [zisht] *3* la visibilità [–t*a*h]

visit *1* visiter [veezee-tay] *2* besuchen [buh-zoo*k*-en] *3* visitare [vee-see-t*a*h-ray]

visor *1* une visière [veez-yair] *2* das Visier *3* una visiera [vee-zee-*eh*-rah]

voie 6 = platform 6

voltage *1* le voltage [vol-tahj] *2* die Spannung [shpan-*oo*ng] *3* il voltaggio [vol-t*a*h-joh]

waist *1* la taille [tie] *2* die Taille [ty-uh] *3* la vita [*vee*-tah]

» *TRAVEL TIP: waist measurements*

UK							
24	26	28	30	32	34	36	38
Continent							
61	66	71	76	80	87	91	97

waistcoat *1* un gilet [jee-lay] *2* eine Weste [vest-uh] *3* un panciotto [pan-ch*o*t-toh]

wait *1* attendre [ah-tōndr] *2* warten [varten]
3 aspettare [as-payt-*tah*-ray]
   wait here *1* attendez ici [ahtōn-day ee-see] *2* warten
   Sie hier [varten zee heer] *3* aspetti qua
   wait for me! *1* attendez-moi! [ahtōn-day-mwah]
   2 warten Sie auf mich! [. . . zee ōwf mish] *3* mi aspetti!
   [mee . . .]
waiter *1* le serveur [sair-verr] *2* der Kellner *3* il
   cameriere [ka-may-ree-*eh*-ray]
waitress *1* la serveuse [sair-verz] *2* die Kellnerin *3* la
   cameriera [ka-may-ree-*eh*-rah]
wake: will you wake me at 7.30? *1* est-ce que vous
   pouvez me réveiller à 7.30? [. . . mer rayvay-yay . . .]
   2 wecken Sie mich bitte um 7.30 [vecken zee mish
   bittuh ŏŏm . . .] *3* per favore, mi svegli alle sette e
   mezza [. . .*voh*-ray may svel-yee a*l*-lay . . .]
Wales *1* le Pays de Galles [pay-*ee* der gal] *2* Wales
   [v–] *3* il Galles [ga*l*-lays]
walk *(tour)* *1* une promenade [prom-nad] *2* ein
   Spaziergang [shpats-*eer*-gang] *3* una passeggiata
   [pas-say-*jah*-tah]
   can we walk there? *1* est-ce qu'on peut y aller à pied?
   [. . . ee ah-lay ah pee-yay] *2* können wir zu Fuß
   hingehen? [kurrnen veer tsoo foss hin-gay-en]
   3 possiamo andarci a piedi? [. . . an-da*r*-chee ah
   pee-*eh*-dee]
   walking stick *1* une canne [kan] *2* ein Spazierstock
   [shpats-*eer*-shtock] *3* un bastone da passeggio
   [bas-*toh*-nay dah pas-sa*y*-joh]
wall *1* un mur [moor] *2* eine Mauer [mōwer]; *(inside)*
   eine Wand [vannt] *3* un muro [moo-roh]
wallet *1* un portefeuille [pohrter-fer-ee] *2* eine
   Brieftasche [breef-tash-uh] *3* un portafoglio [por-ta-
   fo*l*-yoh]
walnuts *1* des noix [nwah] *2* die Walnüsse
   [val-nōōss-uh] *3* le noci [*no*-chee]
want: I want . . . *1* je veux . . . [jer ver] *2* ich
   möchte . . . [ish murrsh-tuh] *3* voglio . . . [vol-yoh]
   we want . . . *1* nous voulons . . . [noo voo-lōn] *2* wir
   möchten [veer . . .] *3* vogliamo . . . [vol-*yah*-moh]
   what do you want? *1* qu'est ce que vous voulez?
   [kesker voo voo-lay] *2* was möchten Sie? [vass

KEY *1* FRENCH *2* GERMAN *3* ITALIAN

murrsh-ten zee] **3** che cosa vuole? [kay ko-sah vwo-lay]

warden *(of hut)* **1** le gardien [gard-yān] **2** der Hüttenwart [hōōt-en-vart] **3** il guardiano [gwar-dee-ah-noh]

warm 1 chaud [shoh] **2** warm [varm] **3** caldo

keep him warm 1 couvrez-le bien [koo-vray-ler bee-yān] **2** halten Sie ihn warm [hal-ten zee een . . .] **3** lo tenga caldo

warn 1 avertir [ahvair-teer] **2** warnen [var-nen] **3** avvisare [av-vee-zah-ray]

wash 1 laver [lah-vay] **2** waschen [vashen] **3** lavare [lah-vah-ray]

where can I wash? 1 où est-ce que je peux me laver? [wesker jer per mer lah-vay] **2** wo kann ich mich waschen? [voh . . .] **3** dove mi posso lavare? [doh-vay mee . . .]

washbasin 1 un lavabo [lahvah-boh] **2** ein Waschbecken [v–] **3** un lavabo [–vah-boh]

washing machine 1 une machine à laver [mah-sheen ah lah-vay] **2** eine Waschmaschine [vash-mash-een-uh] **3** una lavatrice [la-va-tree-chay]

washing powder 1 de la poudre à lessive [poodr ah lay-seev] **2** Waschpulver [–poolver] **3** il detersivo [day-tayr-see-voh]

washing-up liquid 1 du détergent pour la vaisselle [daytair-jōn poor lah vay-sel] **2** Geschirrspülmittel [gheh-sheer-shpōōl-mittel] **3** del lavapiatti [. . .–pee-at-tee]

washer *(for tap etc)* **1** un joint [jwān] **2** eine Dichtung [dish-toong] **3** una rondella

watch *(wrist–)* **1** une montre [mōntr] **2** eine (Armband)uhr [(armbannt)oor] **3** un orologio [o-ro-loh-joh]

watch out! 1 attention! [ahtōns-yōn] **2** Achtung! [ahk-toong] **3** attento!

water 1 l'eau [oh] **2** das Wasser [vasser] **3** l'acqua

waterfall 1 une cascade [kas-kad] **2** ein Wasserfall [–fal] **3** una cascata [–kah-tah]

waterproof 1 imperméable [ānpair-may-ahbl] **2** wasserdicht [–disht] **3** impermeabile [eem-per-may-ah-bee-lay]

wax: ski wax 1 le fart [fahrt] **2** das Skiwachs [shee-vax] **3** la sciolina [shoh-lee-nah]

waxing *1* le fartage [fahr-tahj] *2* das Wachsen [vax-sen] *3* la sciolinatura

way: could you tell me the way to . . .? *1* quel est le chemin pour aller à . . .? [kel ay ler sher-mân poor ah-lay ah] *2* könnten Sie mir den Weg nach . . . sagen? [kurrn-ten zee meer dayn vayk nah*k* . . . zah-ghen] *3* mi può indicare la strada per . . .? [mee pwoh een-dee-ka*h*-ray . . .]

YOU MAY THEN HEAR . . .

1 tout droit *keep straight on*
à droite *right,* à gauche *left*
2 geradeaus *straight on*
links/rechts *left/right*
3 diritto *straight on*
a destra *to the right*
a sinistra *to the left*

we *1* nous [noo] *2* wir [veer] *3* noi [no-ee]

weak *1* faible [faibl] *2* schwach [shvah*k*] *3* debole [d*a*y-bo-lay]

weather *1* le temps [tōn] *2* das Wetter [v–] *3* il tempo

fine weather *1* beau temps [boh tōn] *2* schönes Wetter [shurrn-ess v–] *3* bel tempo

the weather forecast *1* les prévisions de la météo [prayveez-yōn der lah maytay-oh] *2* der Wetterbericht [–buh-risht] *3* le previsioni del tempo [lay pray-vee-see-oh-nee . . .]

YOU MAY THEN HEAR . . .

1 couvert *overcast,* du soleil *sunny,* de la neige *snow,* de la pluie *rain,* du vent *wind,* (très) froid *(very) cold*
2 bewölkt *overcast,* heiter *sunny,* Schnee *snow,* Regen *rain,* Wind *wind,* (sehr) kalt *(very) cold*
3 coperto *overcast,* sereno *clear, sunny,* neve *snow,* piovoso *rainy,* vento *wind,* (molto) freddo *(very) cold*

» *TRAVEL TIP: beware of rapidly changing weather conditions*

wedeln *1* la godille [goh-dee] *2* das Wedeln *3* la serpentina [–*tee*-nah]

Wednesday *1* mercredi [mairkrer-dee] *2* Mittwoch [mit-vo*k*] *3* mercoledì [mer-ko-lay-d*ee*]

week *1* une semaine [ser-men] *2* eine Woche [vo*ck*-uh] *3* una settimana

KEY *1* FRENCH *2* GERMAN *3* ITALIAN

at the weekend *1* le weekend [wee-kend] *2* am Wochenende [am vocken-end-uh] *3* al weekend

weight *1* le poids [pwah] *2* das Gewicht [geh-visht] *3* il peso [pay-soh]

well *1* bien [bee-yān] *2* gut [goot] *3* bene [bay-nay]
I'm not feeling well *1* je ne me sens pas très bien [jer ner mer sōn pah tray bee-yān] *2* ich fühle mich nicht wohl [ish fool-uh mish nisht vole] *3* non mi sento bene [non mee sen-toh bay-nay]
he's not well *1* il ne va pas bien [eel ner vah pah bee-yān] *2* es geht ihm nicht gut [ess gayt eem nisht goot] *3* non sta bene

wellingtons *1* des bottes de caoutchouc [bot der kahoo-tshoo] *2* die Gummistiefel [goomee-shteefel] *3* gli stivali di gomma [lee stee-vah-lee dee . . .]

west *1* à l'ouest [oo-est] *2* nach Westen [nahk v–] *3* verso ovest [. . . oh-vest]

wet *1* mouillé [moo-yay]; *(weather)* humide [oo-meed] *2* naß [nass] *3* bagnato [ban-yah-toh]; *(weather)* umido [oo-mee-doh]

what *1* quel (quelle) [kel] *2* welche(er, es) [vel-shuh] *3* quale [kwah-lay]
what is that? *1* qu'est-ce que c'est? [kesker say] *2* was ist das? *3* cos'è questo? [koh-seh . . .]

wheel *1* la roue [roo] *2* das Rad [raht] *3* la ruota [rwo-tah]

when *1* quand [kōn] *2* wann [van] *3* quando

where *1* où [oo] *2* wo [voh] *3* dove [doh-vay]
where is it? *1* où est-ce que c'est? [wesker say] *2* wo ist es? *3* dov'è?

which *1* quel (quelle) [kel] *2* welcher, welche, welches [velsher . . .] *3* quale [kwah-lay]
which one? *1* lequel (laquelle)? [ler-kel, lah-kel] *2* welcher? *3* quale?

whisky *1* un whisky *2* ein Whisky [v–] *3* un whisky

white *1* blanc (blanche) [blōn, blōnsh] *2* weiß (vice) *3* bianco [bee-an-koh]

who *1* qui [kee] *2* wer [vair] *3* chi [kee]

whose: **whose is this?** *1* à qui est ceci? [ah kee . . .] *2* wem gehört das? [vaym geh-hurrt dass] *3* di chi è questo? [dee kee eh . . .]

why *1* pourquoi [poor-kwah] *2* warum [varoom] *3* perché [payr-kay]

wide *1* large [lahrj] *2* weit [vite] *3* largo

wife: my wife *1* ma femme [mah fam] *2* meine Frau [mine-uh frōw] *3* mia moglie [mee-ah mol-yay]

win *1* gagner [gahn-yay] *2* gewinnen [gheh-vinnen] *3* vincere [veen-chay-ray]

who won? *1* qui a gagné? [kee ah gahn-yay] *2* wer hat gewonnen? [vair . . .] *3* chi ha vinto? [kee ah veen-toh]

wind *1* le vent [vōn] *2* der Wind [vinnt] *3* il vento

window *1* la fenêtre [fer-naitr] *2* das Fenster *3* la finestra [fee-ne-strah]
(of car) *1* la vitre [veetr] *2* das Fenster *3* il finestrino [–tree-noh]; *(of shop)* *1* la vitrine [vee-treen] *2* das (Schau)fenster *3* la vitrina [–tree-nah]

windscreen *1* le pare-brise [par-breez] *2* die Windschutzscheibe [vinnt-shoots-shy-buh] *3* il parabrezza [pa-ra-brayt-tzah]

windy: it's too windy *1* il y a trop de vent [eel-yah troh der vōn] *2* es ist zu windig [. . . vindik] *3* c'è troppo vento [cheh . . . ven-toh]

wine *1* le vin [vān] *2* der Wein [vine] *3* il vino [vee-noh]

wine list *1* la carte des vins [kart day vān] *2* die Getränkekarte [gheh-trenkuh-kartuh] *3* la lista dei vini [lees-tah day vee-nee]

red wine *1* le vin rouge [. . . rooj] *2* Rotwein [roht–] *3* il vino rosso; **white wine** *1* le vin blanc [. . . blōn] *2* Weißwein [vice–] *3* il vino bianco [. . . bee-an-koh]

winter *1* l'hiver [ee-vair] *2* der Winter [v–] *3* l'inverno

winter sports *1* les sports d'hiver [spor dee-vair] *2* der Wintersport [vinter-shport] *3* gli sport invernali [lee . . . een-vayr-nah-lee]

wire *1* du fil métallique [feel maytah-leek] *2* der Draht *3* il filo metallico [fee-loh may-tal-lee-koh] *(electrical)* *1* un fil électrique [. . . aylek-treek] *2* eine Leitung [ly-toong] *3* un filo elettrico

wish: best wishes *1* meilleurs voeux [may-yerr ver] *2* alles Gute *3* tanti auguri [tan-tee ow-goo-ree]

with *1* avec [ah-vek] *2* mit *3* con

without *1* sans [sōn] *2* ohne [oh-nuh] *3* senza [sen-tzah]

witness *1* un témoin [tay-mwān] *2* ein Zeuge [tsoy-guh] *3* un testimone [tes-tee-moh-nay]

woman *1* une femme [fam] *2* eine Frau [frow] *3* una donna

wonderful *1* magnifique [mahnyee-feek] *2* herrlich [hair-lish] *3* meraviglioso [may-ra-veel-yoh-soh]

wood *1* du bois [bwah] *2* Holz *3* il legno [layn-yoh] *(forest)* *1* un bois *2* ein Wald [valt] *3* un bosco

wool *1* de la laine [len] *2* Wolle [vol-uh] *3* la lana

word *1* un mot [moh] *2* ein Wort [vort] *3* una parola

work *1* travailler [travah-yay] *2* arbeiten [ar-by-ten] *3* lavorare [la-vo-rah-ray]

　it's not working *1* ça ne marche pas [sah ner marsh pah] *2* es funktioniert nicht [ess foonk-tsee-oh-neert nisht] *3* non funziona [. . . foon-tzee-oh-nah]

worried *1* inquiet [ānk-yay] *2* besorgt [buh-zorgt] *3* preoccupato

worry: don't worry *1* ne vous inquiétez pas [ner vooz ānk-yay-tay pah] *2* keine Sorge! [kine-uh zor-guh] *3* non si preoccupi [non see pray-ok-koo-pee]

worse *1* pire [peer] *2* schlimmer [shl–] *3* peggio [peh-joh]

wrap up *1* envelopper [ōnv-loh-pay] *2* einpacken [ine–] *3* fare un pacchetto di [fah-ray oon pak-kayt-toh dee]

wrist *1* le poignet [pwahn-yay] *2* das Handgelenk [hannt-gheh–] *3* il polso

write *1* écrire [ay-kreer] *2* schreiben [shryben] *3* scrivere [skree-vay-ray]

wrong *1* faux (fausse) [foh, fohs] *2* falsch [falsh] *3* sbagliato [sbal-yah-toh]

　you're wrong *1* vous vous trompez [voo voo trōn-pay] *2* Sie irren sich [zee irren zish] *3* lei ha torto [lay ah tor-toh]

X-ray *1* une radio [rahd-yoh] *2* eine Röntgenaufnahme [rurrnt-ghen-owf-nah-muh] *3* una radiografia [ra-dee-o-gra-fee-ah]

yard *see* metre

year *1* une année [ah-nay] *2* ein Jahr [y–] *3* un anno

yellow *1* jaune [jon] *2* gelb [ghelp] *3* giallo [jal-loh]

yes *1* oui [wee] *2* ja [yah] *3* sì [see]

yesterday *1* hier [yair] *2* gestern [ghestern] *3* ieri [yeh-ree]

　the day before yesterday *1* avant-hier [ahvōnt-yair] *2* vorgestern [for–] *3* l'altroieri [al-tro-yeh-ree]

　yesterday morning/afternoon/evening *1* hier

matin/après-midi/soir **2** gestern morgen/
nachmittag/abend **3** ieri mattina/pomeriggio/sera

yet: not yet *1* pas encore [pahz ōn-kor] *2* noch nicht
[nok nisht] *3* non ancora

yoghurt *1* un yaourt [yah-oort] *2* ein Joghurt *3* uno
yoghurt

you	FRENCH	GERMAN	ITALIAN
you ...	vous [voo]	Sie [zee]	lei [lay]
(informal)	tu [too]	du [doo]	tu [too]
(several people)	vous	Sie; *(informal)* ihr [eer]	voi [voh-ee]
... **you**			
(after 'like', 'see' etc)	vous	Sie	la [lah]
	te (t') [ter]	dich [dish]	ti [tee]
	vous	Sie; *(informal)* euch [oysh]	vi [vee]
(after 'give', 'send' etc)	vous	Ihnen [een-en]	le [lay]
	te (t')	dir [deer]	ti
	vous	Ihnen; *(informal)* euch	vi

» *TRAVEL TIP: the informal 'tu', 'du' or 'tu' form is best
reserved for people your own age you know well*

young *1* jeune [jern] *2* jung [yŏong] *3* giovane [joh-va-nay]

your *see* **my**

zero *1* zéro [zay-roh] *2* Null [nŏol] *3* zero [tzeh-roh]
below zero *1* en dessous de zéro [ōn der-soo ...]
2 unter Null [ŏonter ...] *3* sotto zero

ziehen pull

Zimmer frei vacancies, rooms

zip *1* une fermeture éclair [fairmer-toor ay-klair] *2* ein
Reißverschluß [rice-fair-shlŏoss] *3* una cerniera
[chayr-nee-*eh*-rah]

Zoll Customs

zu vermieten for hire/to let

	FRENCH	GERMAN	ITALIAN
0	zéro	null	zero
	[zay-roh]	[nool]	[tzay-roh]
1	un	eins	uno
	[ān]	[ine-ts]	[oo-noh]
2	deux	zwei	due
	[der]	[tsvy]	[doo-ay]
3	trois	drei	tre
	[trwah]	[dry]	[tray]
4	quatre	vier	quattro
	[kahtr]	[feer]	[kwat-troh]
5	cinq	fünf	cinque
	[sānk]	[foonf]	[cheen-kway]
6	six	sechs	sei
	[sees]	[zex]	[say]
7	sept	sieben	sette
	[set]	[zeeben]	[set-tay]
8	huit	acht	otto
	[weet]	[ahkt]	[ot-toh]
9	neuf	neun	nove
	[nerf]	[noyn]	[no-vay]
10	dix	zehn	dieci
	[dees]	[tsayn]	[dee-eh-chee]
11	onze	elf	undici
	[ōnz]	[elf]	[oon-dee-chee]
12	douze	zwölf	dodici
	[dooz]	[tsvurrlf]	[doh-dee-chee]
13	treize	dreizehn	tredici
	[trayz]	[dry-tsayn]	[tray-dee-chee]
14	quatorze	vierzehn	quattordici
	[kah-torz]	[feer-tsayn]	[kwat-tor-dee-chee]
15	quinze	fünfzehn	quindici
	[kānz]	[foonf-tsayn]	[kween-dee-chee]
16	seize	sechszehn	sedici
	[sayz]	[zex-tsayn]	[say-dee-chee]
17	dix-sept	siebzehn	diciassette
	[dee-set]	[zeep-tsayn]	[dee-chas-set-tay]
18	dix-huit	achtzehn	diciotto
	[deez-weet]	[ahkt-tsayn]	[dee-chot-toh]
19	dix-neuf	neunzehn	diciannove
	[deez-nerf]	[noyn-tsayn]	[dee-chan-no-vay]
20	vingt	zwanzig	venti
	[vānt]	[tsvan-tsik]	[ven-tee]
21	vingt-et-un	einundzwanzig	ventuno
	[vān-tay-ān]	[ine-oont–]	[ven-too-noh]

22 vingt-deux [vānt-der]	zweiundzwanzig [tsvy-ŏont–]	ventidue [ven-tee-doo-ay]
23 vingt-trois [vānt-trwah]	dreiundzwanzig [dry-ŏont–]	ventitré [ven-tee-tray]
30 trente [trŏnt]	dreißig [dry-tsik]	trenta [tren-tah]
31 trente-et-un [trŏnt-ay-ān]	einunddreißig [ine-ŏont-dry-tsik]	trentuno [tren-too-noh]
40 quarante [kah-rŏnt]	vierzig [feer-tsik]	quaranta [kwah-ran-tah]
50 cinquante [sān-kŏnt]	fünfzig [fŏonf-tsik]	cinquanta [cheen-kwan-tah]
60 soixante [swah-sŏnt]	sechzig [zex-tsik]	sessanta [ses-san-tah]
70 soixante-dix [swah-sŏnt-dees]	siebzig [zeep-tsik]	settanta [set-tan-tah]

NB: FRENCH: in Switzerland septante [sep-tŏnt]; 71 etc: soixante
et onze etc; septante et un etc

80 quatre-vingts [kahtrer-vān]	achtzig [ahkt-tsik]	ottanta [ot-tan-tah]
90 quatre-vingt-dix [–vān-dees]	neunzig [noyn-tsik]	novanta [noh-van-tah]

NB: FRENCH: in Switzerland nonante [ner-nŏnt]; 91 etc:
quatre-vingt-onze etc; nonante et un etc

100 cent [sŏn]	hundert [hŏondert]	cento [chen-toh]
101 cent un [sŏn ān]	hunderteins [hŏondert-ine-ts]	centouno [chen-toh-oo-noh]
1000 mille [meel]	tausend [tŏw-zent]	mille [meel-lay]
2000 deux mille [der meel]	zweitausend [tsvy-tŏw-zent]	duemila [doo-ay-mee-lah]
1M un million [mee-yŏn]	eine Million [mil-ee-yone]	un milione [meel-yoh-nay]
1st premier 1er [prerm-yay]	erste 1. [air-stuh]	primo(a) 1° [pree-moh]
2nd deuxième 2ème [derz-yem]	zweite 2. [tsvy-tuh]	secondo(a) 2° [say-kon-doh]
3rd troisième 3ème [trwahz-yem]	dritte 3. [drit-uh]	terzo(a) 3° [tayr-tzoh]
21st vingt-et-unième [. . . ay-oon-yem]	einundzwanzigste [–stuh]	ventunesimo(a) [–ay-zee-moh]

NB: the decimal point is a comma: 0,5

what's the time? *1* quelle heure il est? [kayl err eel ay] *2* wie spät ist es? [vee shpayt isst ess] *3* che ore sono? [kay *oh*-ray . . .]

it's twelve o'clock *1* c'est midi [. . . mee-dee] *2* es ist zwölf Uhr [tsvurrlf oor] *3* sono le dodici [. . . d*oh*-dee-chee]

it's one o'clock *1* c'est une heure [. . . oon err] *2* es ist ein Uhr [. . . ine oor] *3* è l'una [eh l*oo*-nah]

it's 2 am/pm *1* c'est deux heures du matin/de l'après-midi [say derz err doo mah*tān*/der lah-pray-mee-dee] *2* es ist zwei Uhr morgens/nachmittags [. . . tsvy oor morghenz/nah*k*-mittahgs] *3* sono le due di mattina/dee pomeriggio [. . . lay d*oo*-ay dee mat-*tee*-nah/dee po-may-*ree*-joh]

at one o'clock *1* à une heure *2* um ein Uhr *3* all'una

at 7 pm *1* à sept heures du soir [ah set err doo swahr] *2* um sieben Uhr abends [o͞om zeeben oor ah-benz] *3* alle sette di sera [. . . s*ay*-rah]

	FRENCH	GERMAN	ITALIAN
2.05	deux heures cinq	fünf (Minuten) nach zwei [fo͞onf nah*k* tsvy]	due e cinque [d*oo*-ay ay ch*ee*n-kway]
2.15	deux heures et quart [. . . ay kar]	Viertel nach zwei/zwei Uhr fünfzehn [feertel nah*k* tsvy, tsvy oor fo͞onf-tsayn]	due e quarto/ due e quindici [. . . kw*ah*r-toh kw*ee*n-dee-chee]
2.30	deux heures et demie [. . . ay der-mee]	halb drei/zwei Uhr dreißig [halp dry . . .]	due e mezza/ due e trenta [d*oo*ay ay m*e*t-tzah . . .]
2.40	trois heures moins vingt [. . . mw*ān* v*ān*]	zehn nach halb drei [tsayn nah*k* halp dry]	tre meno venti [. . . m*ay*-noh . . .]
2.45	trois heures moins le quart [. . . mw*ān* ler kar]	Viertel vor drei [feertel for dry]	tre meno un quarto/tre e quarantacinque
2.50	trois heures moins dix	zehn (Minuten) vor drei	tre meno dieci